문재인의 운명 필사

1

참이 거짓을 이기는 나라,
아무도 흔들 수 없는 나라를 꿈꾼다

문재인의 운명 필사

1

더휴먼

강물이 되어 다시 만나기를

세월이 화살 같다. 우리가 노무현 대통령과 이별한 지 어느덧 두 해가 됐다. 그 느낌은 저마다 다를 것이다.

어떤 이들에게 '그를 떠나보낸 날'은 여전히 충격과 비통함이며, 어떤 이들에게 '노무현'은 아직도 서러움이며 아픔이다. 그리고 어떤 이들에게 '그와 함께했던 시절'은 그리움이고 추억일 것이다.

그것이 무엇이든 우리가 받아들여야 할 현실이 있다. 이제 우리는 살아남은 자들의 책무에 대해 생각해야 한다. 이제 우리는 그가 남기고 간 숙제에 대해 고민해야 한다. 이제 우리는 노무현 시대를 넘어선 다음 시대를 준비해야 한다.

언제까지나 과거에 머무를 순 없다. 충격, 비통, 분노, 서러움, 연민, 추억 같은 감정을 가슴 한구석에 소중히 묻어 두고, 우리가 해야 할 일을 냉정하게 시작해야 한다.

그것이 그를 '시대의 짐'으로부터 놓아주는 방법이다. 그가 졌던 짐을 우리가 기꺼이 떠안는 것이야말로 가장 아름다운 이별이다.

2주기를 앞두고 사람들이 내게 책을 쓰라고 권했다. 이유가 있는 권고였다. 노 대통령은 생전에 자서전이나 회고록을 남기지 않았다. 기록으로서 솔직하고 정직해야 하는데, 아직은 솔직하게 쓸 자신이 없다고 했다. 혼자 하기에 벅차다고도 했다. 그러면서 같이 일했던 사람들에게 공동 작업을 청했다. '함께 쓰는 회고록'으로 가자고 했다. 저마다, 우리가 함께했던 시대를 기록해 보라고 부탁했다. 그다음에 당신이 하겠다고 했다.

그 부탁을 했던 분도, 그 부탁을 받았던 우리도 미처 뭔가 해 보기 전에 갑작스럽게 작별해야만 했다. 그러니 무엇보다 중요한 숙제는, 그와 함께했던 시대를 기록하는 일임이 분명하다. 노 대통령과 오랜 세월을 같이했고, 지금은 〈노무현재단〉 이사장을 맡고 있는 내가 그 일을 맨 먼저 해야 한다고들 했다.

하지만 엄두가 안 났다. 그동안 앞만 보고 달려오느라, 기록을 충실히 하며 살아오지 않았다. 하도 엄청나고 많은 일을 겪어, 자료를 보지 않으면 기억이 가물가물하기도 했다.

주저되는 부분도 많았다. 대통령이 고민했던 것처럼, 나 역시 백 퍼센트 솔직할 수 있을지에 대해 자신이 없었다. 동시대를 함께 살았던 많은 분들이 있는데, 자칫하면 이런저런 부담을 드리거나 누가 될 소지도 있어 보였다.

그럼에도 불구하고 책을 쓰기로 한 것은, 한 가지 이유에서다. 또 한 정권이 끝나간다. 국민들은 희망을 갈구하고 있다. 더 이상 절망의 시기가 반복되지 않기를 소망한다. 이명박 대통령과 이명박 정부가 역사에 반면교사(反面教師)라면, 노무현 대통령과 참여정부가 역사에 타산지석(他山之石)이 될 수 있도록 다양한 증언을 남기는 게 필요하다고 생각했다.

노무현 대통령과 한 시대를 같이 살았던 사람들, 노무현 대통령과 참여정부를 함께했던 사람들이 무엇보다 먼저 해야 할 책무는 자기가 보고 겪었고 일했던 내용을 증언하는 것이다. 다음 시대에 교훈이 되고 참고가 될 내용을 역사 앞에 기록으로 남기는 것이다.

이제 우리는 노무현 대통령을 극복해야 한다. 이제 우리는 참여정부를 넘어서야 한다. 성공은 성공대로, 좌절은 좌절대로 뛰어넘어야 한다. 그런 바람으로 펜을 들었다.

책을 정리하면서 보니, 참 오랜 세월을 그와 동행했다. 그분은 내가 살면서 만난 사람들 가운데 가장 따뜻하고 가장 치열한 사람이었다. 그분도, 나도 어렵게 컸다. 세상을 따뜻한 시선으로 보려 했고, 이웃들에게 따뜻한 사람이 되고자 했다. 함께 세상을 바꿔 보고 싶었고, 함께 희망을 만들어 보고자 애썼다.

그 열망을 안고 참여정부가 출범했다. 이룬 것도 많고 이루지 못한 것도 많다. 열심히 한다고 했지만 아쉬움이 많다. 후회되는 것도 있다. 견해의 차이로 마음이 멀어진 분들도 있다. 진보·개혁 진영의 '과거 벗'들과도 다소 마음이 멀어진 듯하다. 우리뿐이 아니다. 진보·개혁 진영 안에서도 상처와 섭섭함이 남아 있다. 하지만 노 대통령 서거는 우리에게 새로운 계기를 만들어 줬다. 다음 시대를 함께 준비하기 위해 우리는 마음을 모아야 한다. 마음을 모아야 힘을 모을 수 있다.

더 이상 노무현 대통령과 참여정부가 애증(愛憎)의 대상이 되지 않았으면 좋겠다. 그분은 떠났고, 참여정부는 과거다. 그분도 참여정부도 이제 하나의 역사다. 그냥 '있는 그대로' 성공과 좌절의 타산지석이 되면 좋겠다. 잘한 것은 잘한 대로, 못한 것은 못한 대로 평가 받고 극복할 수 있으면 좋겠다. 그분도 그걸 원하실 것이다.

노 대통령과 나는 아주 작은 지천에서 만나, 험하고 먼 물길을 흘러왔다. 여울목도 많았다. 그러나 늘 함께했다. 이제 육신은 이별했다. 그러나 앞으로도 나와 그는, 정신과 가치로 한 물줄기에서 만나 함께 흘러갈 것이다. 바다로 갈수록 물과 물은 만나는 법이다. 혹은 물과 물이 만나 바다를 이루는 법이다. 어느 것이든 좋다.

이 같은 나의 절절한 마음을, 내가 좋아하는 도종환 시인이 한 편의 시에서 어쩌면 그리 잘 표현했는지 모르겠다.

멀리 가는 물

어떤 강물이든 처음엔 맑은 마음
가벼운 걸음으로 산골짝을 나선다
사람 사는 세상을 향해 가는 물줄기는
그러나 세상 속을 지나면서
흐린 손으로 옆에 서는 물과도 만나야 한다
이미 더럽혀진 물이나
썩을 대로 썩은 물과도 만나야 한다
이 세상 그런 여러 물과 만나며
그만 거기 멈추어 버리는 물은 얼마나 많은가
제 몸도 버리고 마음도 삭은 채

길을 잃은 물들은 얼마나 많은가
그러나 다시 제 모습으로 돌아오는 물을 보라
흐린 것들까지 흐리지 않게 만들어 데리고 가는
물을 보라 결국 다시 맑아지며
먼 길을 가지 않는가
때 묻은 많은 것들과 함께 섞여 흐르지만
본래의 제 심성을 다 이지러뜨리지 않으며
제 얼굴 제 마음을 잃지 않으며
멀리 가는 물이 있지 않는가.

이 땅의 사람들도 그랬으면 좋겠다. 결국은 강물이 되어 다시 만나고, 역사의 큰 물줄기를 이뤄 함께 흘렀으면 좋겠다. 강물은 좌로 부딪히기도 하고 우로 굽이치기도 하지만, 결국 바다로 간다. 장강후랑추전랑(長江後浪推前浪)이라고 했던가. 그러면서 장강의 뒷물결이 노무현과 참여정부라는 앞물결을 도도히 밀어내야 한다. 역사의 유장한 물줄기, 그것은 순리다. 부족한 이 기록이 조금이라도 도움이 된다면, 더 바랄 게 없다.

책이 나오기까지 많은 사람들이 수고를 아끼지 않았다. 처음에 마뜩잖아 하던 나를 설득해 책을 내도록 권고한 분들이 꽤 많다. 그들의 마음을 따뜻하게 받아들인다. 방대한 양의 내 녹취와 증언을 꼼꼼히 정리하여 자료로 만들어 주느라 고생한 양정철 전 비서관에게 특히 고마움을 전한다. 그 작업이 없었으면 나는 책을 쓸 엄두를 내지 못했을 것이다. 내 원고를 자신의 것인 양 정성껏 봐주고, 의견을 주신 분들의 노고도 고맙기만 하다. 그 모든 분들의 수고가 헛되지 않았으면 좋겠다.

이 책을 노 대통령 2주기에 맞춰 발간해, 그분 영전에 헌정하고 싶었는데 쉽지 않았다. 열심히 정리했지만 부족하거나 정확하지 않은 부분도 있을지 모르겠다. 아무쪼록 이 책이 그분이 바랐던 '함께 쓰는 회고록'의 출발점이기를 바란다. 그분과 함께했던 다른 분들의 알찬 기록이 속속 나오기를 기대한다.

2011년 6월

문재인

차례

2 인생

1

만남

2

인생

그날 아침

벨소리가 요란하다. 새벽잠이 확 달아났다. '누굴까, 이 시간에…….' 이른 시간에 걸려오는 전화는 왠지 모를 불안감을 동반한다.

"실장님, 저 경수입니다."

"그래요. 무슨 일이에요?"

"지금 빨리 와 주셔야겠습니다. 대통령님이 산책 나갔다가 산에서 떨어지셨습니다. 부엉이 바위에서 떨어지신 것 같습니다. 떨어지신 이유는 아직 저희도 모르겠습니다. 지금 경호관이 병원으로 모셔가는 중인데, 상태가 엄중하다고 합니다."

"엄중하다니, 위독하시다는 말인가요?"

"정확히 모릅니다. 경호관이 그렇게 얘기했다고 합니다. 병원에 도착하면 자세히 알 수 있을 것 같습니다."

봉하에 있는 김경수 비서관이 그 시간에 전화했으니, 직감적으로 대통령과 관련한 급한 일이 생겼다는 건 짐작을 했다. 그런데 부엉이 바위에서 떨어지셨다니…….

"대통령님이 새벽에 산책을 나가셨다고? 요즘 산책을 다니셨나요?"

"아닙니다. 수사가 시작된 후로는 산책도 전혀 못 하시다가 오랜만에 나가신 겁니다."

나도 그렇게 알고 있었다. 대통령은 수사가 시작된 후로는 두문불출, 일체 외출을 안 하셨다. 언론의 카메라에 늘 신경을 쓰셨다. 그런데 봉화산으로 산책이라니, 그리고 부엉이 바위에서 떨어지셨다니, 게다가 상태가 엄중하다니…….

불길한 생각을 억누르려고 애썼다.

김경수 비서관은, 대통령을 일단 읍내 '세영병원'으로 후송 중인데 큰 병원으로 옮길지 확인되는 대로 다시 연락하겠다며 전화를 끊었다. 서둘러 출발 준비를 마쳤는데도 연락이 없어, 이번엔 내가 김 비서관에게 전화했다. 김 비서관도 후속 상황을 연락받지 못했다고 했다. 문용욱 비서관이 뒤쫓아 갔으니, 문 비서관의 전화를 받으면 바로 연락드리겠다고 했다.

초조했다. 얼마나 시간이 흘렀을까.

한참이 지나서야 문용욱 비서관이 전화를 했다.

"위독하십니다. 아주 엄중한 상황인 것 같습니다. 읍내 '세영병원'에선 어렵다고 합니다. 큰 병원으로 가는 게 좋겠다고 해서 양산의 '부산대병원'으로 가는 중입니다. 그쪽으로 좀 와 주십시오. 그리고, 경호관 말에 의하면 부엉이 바위에서 뛰어내리신 것 같습니다. 김경수 비서관과 박은하 비서관이 대통령님 컴퓨터에서 유서를 찾았다고 합니다."

'부엉이 바위에서 뛰어내리시다니. 어떻게 이런 일이……' 하는 생각

만 머리에 맴돌았다. 설마 하면서도 불길한 생각을 억누를 수 없었다.

걱정스런 얼굴로 어쩔 줄 몰라 하는 아내를 두고 집을 나섰다. 운전대를 잡은 손이 떨렸다. 심호흡을 계속 하면서 차를 몰았다.

내 생애 가장 고통스럽고 견디기 힘들었던 2009년 5월 23일 '그날'은 그렇게 시작됐다.

양산 부산대병원에는 한 번도 가 본 적이 없었다. 정신없는 가운데 이정표를 보며 어렵게 찾아갔다. 어떻게 그곳까지 갔는지 기억이 나지 않는다. 병원에 도착했다. 마중 나와 있는 문용욱 비서관의 표정이 참담했다. 넋이 나간 사람 같았다.

대통령님은 출입이 철저히 통제된 특실에 모셔져 있었다. 얼마나 안좋은 상태인지 눈으로 봐야 했다. 병실에 들어섰다. 눈을 감고 말았다. 차마 표현하기 어려운 처참한 모습이었다.

인공 연명 장치를 달고 계셨다. 기계를 보니 신호가 잡히고 있었다. '아직 희망이 있구나'라는 생각을 얼핏 했다. 그게 아니었다.

의료진들이 사실대로 알려 주었다. 인공심장박동으로 연명하고 있어 신호가 잡히는 것이라 했다. 장치만 제거하면 신호는 바로 없어진다고 했다. 그래도 '행여나……' 하는 나의 마음을 읽었는지, 의사가 더 분명하게 말했다. 병원에 도착했을 때 이미 의학적으로는 사망한 상태였고, 중간에 들렀던 '세영병원' 소견도 같다고 했다. 대통령님 상태로 보면, 사고현장에서 바로 돌아가신 것으로 판단된다고 했다. 인공심장박동 장치는 마지막까지 할 수 있는 처치를 다 해 주길 바랄 가족들을 위해서, 그리고 가족들이 최종적으로 결정할 수 있게 하기 위해서 붙여 놓고 있는 것이

라고 했다. 하늘이 무너져 내리는 것 같았다.

문용욱 비서관이 경호관에게 들은 경위를 설명해 줬다. 얼마 후 김경수 비서관이 대통령 컴퓨터에서 출력한 유서를 가지고 왔다. 사고가 아니라 당신께서 스스로 선택하신 행동임이 분명했다. 말도 나오지 않았고, 머릿속이 아득했다.

담당 의사가 말했다.

"여사님이 오시면 전혀 가망 없는 상태라는 걸 말씀드리고 동의를 받아 인공 연명 장치를 제거해야 합니다. 저희가 말씀드리기 어려우니, 실장님이 먼저 좀 말씀해 주십시오."

그 말을 듣고 정신이 들었다. '그래, 나까지 정신을 놓으면 안 된다. 뭘 해야 할지 생각해야 한다. 당장 해야 할 일이 뭔지 내가 판단해서 결정해야 한다. 정신 차려라. 침착하자.'

그렇게 생각하니, 곧 도착하실 여사님께 대통령님 모습을 어떻게 보여드릴 것인지가 먼저 걱정됐다. 의료진에게 그 걱정을 말했다. 그들도 공감했다. 의료진들은 얼마 후 도착한 여사님을 기다리게 하면서, 황급히 손을 써 줬다. 찢어진 부분을 모두 봉합하고 피도 깨끗이 닦아냈다.

몸을 제대로 가누지 못하던 여사님이, 의료진의 연락을 받고 겨우 부축을 받아 대통령을 만났다. 거짓말처럼 깨끗한 모습이었다. 얼굴에 아무 상처가 없었다. 표정이 온화하기까지 했다. 여사님은 그 모습을 보고서도 실신을 했다. 불과 두세 시간 전까지 함께 있던 남편의 그런 모습을 받아들이지 못하는 건 당연했다.

더 고통스러운 것은, 여사님에게 상황을 사실대로 설명해 드리는 것이

었다. 여사님은 그냥 '산에서 떨어지셨는데 좀 위급하다' 정도로만 알고 달려오셨다. '세영병원'에서는 손을 쓸 수 없어 양산 '부산대병원'으로 옮겼다는 말을 듣고, 상당히 좋지 않은 상태라는 짐작만 하고 계셨다. 비서들이 차마 사실대로 말씀드리지 못한 것이었다.

사실을 말씀드렸다. 부엉이 바위에서 스스로 뛰어내리셨다고. 못 믿으셨다. 유서를 보여드렸다. 여사님은 그대로 허물어져 내렸다.

더 어려운 말씀을 드려야 했다. '인공심장박동 장치에 의존하고 있을 뿐, 의학적으로는 이미 돌아가신 것이다, 전혀 가망이 없다고 한다, 인공 연명 장치를 이제 포기할 수밖에 없다, 여사님이 결심하셔야 한다, 그냥 가시도록 놓아드리자…….' 의료진도 확인을 해 줬다.

여사님의 오열과 통곡 앞에서 나도 나를 가누기 어려웠다. 고통스러운 일이었다. 실신했다 깨어났다를 반복하던 여사님께서 어느 정도 정신을 수습하신 후에 동의를 했다. 인공심장박동기를 제거했다.

2009년 5월 23일, 오전 9시 30분이었다. 그분을 떠나보냈다.

국민들에게 사실을 알려야 했다. 의료진들과 협의해, 내가 대통령의 서거 사실과 서거 원인을 발표하기로 했다. 이어서 의료진이 의학적 설명을 하기로 했다. 짧은 문안을 만들어 기자들 앞에 섰다. 수백 개의 플래시가 터지는 듯 번쩍번쩍했지만, 아무 느낌이 없었다. 회견장에 가득 찬 기자들의 웅성거림조차 무서운 정적처럼 느껴졌다. 마치 정지화면 같았다.

"대단히 충격적이고 슬픈 일입니다. 노무현 전 대통령님께서 오늘 오전 9시 30분경 이곳 양산 부산대병원에서 돌아가셨습니다. 대통령님께

국민들에게 사실을 알려야 했다.

의료진들과 협의해, 내가 대통령의 서거 사실과 서거 원인을 발표하기로 했다.

서는 오늘 오전 5시 45분경에 사저에서 나와 봉화산을 등산하던 중 오전 6시 40분쯤에 봉화산 바위에서 뛰어내리신 것으로 보입니다. 당시 경호관 1명이 수행을 하고 있었습니다. 발견 즉시 가까운 병원으로 이송했고, 상태가 위독해 부산대병원으로 옮겼으나 조금 전 9시 30분경 돌아가셨습니다. 대통령님께서는 가족들 앞으로 짧은 유서를 남기셨습니다."

그 엄청나고 복잡한 상황을 알리는 데 채 1분이나 걸렸을까. 하지만 더 설명할 게 없었다. 기자들도 질문하지 않았다.

당장 다음 일에 집중해야 했다. '이제 그분을 어디에 모셔야 하나? 우선 여기에 임시 빈소를 차려야 하나? 아니면 바로 봉하로 모시고 가야 할까?' 봉하 쪽에 서둘러 빈소와 분향소를 준비하도록 지시하고 독려했다.

병원은 북새통이었다. 눈물을 쏟으며 모여드는 낯익은 얼굴들. 그들이 나처럼 그분의 떠남을 현실로 받아들이는 데엔 또 얼마나 시간이 필요할까. 그리고 몰려드는 여야 정치인들. 취임 인사조차 없었던 이명박 대통령 비서실장도 왔다. 부둥켜안고 함께 울고 싶은 사람들과, 뒤섞인 의례적인 조문들.

단 몇 분이라도 혼자 있고 싶었다. 누군가 차를 한 잔 갖다 줬다. 물끄러미 바라보던 찻잔에서 문득 그와의 첫 만남이 떠올랐다. 그를 처음 만나, 차 한 잔 앞에 놓고 얘기를 나누던 바로 그날, 우리는 눈부시게 젊었다.

첫 만남

1982년 8월, 사법연수원*을 수료하면서 판사를 지망했다. 연수원 성적이 차석이어서, 수료식에서 법무부장관상을 받았다. 사법고시 합격자 수가 많지 않던 때여서, 연수원을 마치면 희망자 전원이 판사나 검사로 임용됐다.

그래서 판사에 임용되지 않을 것이라는 생각은 미처 하지 못했다. 대학 시절 시위 주도 때문에 구속된 전력이 있긴 했다. 그것은 유신 반대 시위였고, 시대가 바뀌어 이미 유신*은 잘못된 것으로 받아들이는 시기였다. 유신 반대 시위 전력이 비난받을 이유는 전혀 없다고 생각했다. 그것이 결격 사유가 돼, 임용이 안 될 것이라는 예상은 하지 않았다.

그런데 막판에 판사 임용이 안 된다고 했다. 지금도 판사 임용 면접 장면이 잊히지 않는다. 판사 지망자들은 법원행정처* 차장과 인터뷰하는 절차가 있었다. 대부분 1~2분 정도 됐을까, 의례적인 절차였다. 그런데 유독 나 혼자만 30분 정도 면접을 했다. 질문이 많았던 것은 아니었다. '왜 데모를 했나, 그게 언제였나?' 그게 다였다. 그런데 면접관이 그 상황

을 이해하지 못했다.

그때가 1982년이었으니, 내가 시위로 구속된 1975년은 불과 7년 전이었다. 사실 1975년 4월에 유신 반대 시위를 했다고 하면 더 설명이 필요 없었다. 그런데 그렇게 대답하자 "그때가 위수령* 때인가?"라고 반문하는 것이다. 위수령은 그보다 몇 년 앞선 1971년이었다고 설명했다. 그랬더니 이번에는 "유신헌법 만들 땐가?" 이러는 것이다. 할 수 없이 위수령, 유신 선포와 유신헌법 제정, 긴급조치* 등 1970년대의 역사 흐름을 쭉 설명해야 했다. 그분은 법원 내에서 판결문 잘 쓰기로 명성이 높았고, 나중에 대법관까지 하셨던 분이다. 그런데 많은 국민들이 고통받으며 저항했던, 그 때문에 시국 사범이 돼 투옥되고 재판받아야 했던, 엊그제의 역사를 법원 고위직에 있는 분이 모르다니 믿을 수 없었다. 판사들이 현실 세계와 동떨어져 사는 모습을 본 셈이었다. 씁쓸했다. 결국 임용이 안 됐다.

당시 법원행정처장은 내가 학교 다닐 때 민사소송법을 가르쳤던 은사였다. 검찰에서는 받아들여 줄 것이라는 이야기가 있자, 그분은 내게 우선 검사로 임용 받을 것을 권유하기도 했다. 검사로 임용 받아 2~3년 근무하면 임용불가 딱지가 떨어질 테니 그때 판사로 전관(轉官)하라는 것이었다. 그렇게까지 하고 싶지는 않았다.

할 수 없이 뒤늦게 변호사 개업으로 방향을 바꿔야 했다. 연수원 마친 사람이 전원 판·검사로 임용되던 시기여서, 바로 변호사 개업을 한다는 것은 아주 희귀한 경우였다. 성적도 괜찮았던 덕에 금세 소문이 돌았다. 지금처럼 로펌이 많은 시절이 아니었는데도, 〈김앤장〉을 비롯해 괜찮은

로펌 여기저기서 스카우트 제의가 들어왔다. 몇 군데 만나 제안을 들어 보기도 했다. 조건이 좋았다.

보수도 파격적이고 승용차도 제공해 준다고 했다. 3년 정도 근무하면 미국 로스쿨로 유학도 보내 준다고 했다. 잠시 솔깃했다. 하지만 내가 생각했던 변호사 상(像)과 너무 달랐다. 대학 시절 학생운동을 했기 때문만은 아닐 것이다. 내가 그렸던 법률가 상은, 꼭 인권 변호사가 아니더라도 보통 서민들이 겪는 사건들 속에서 억울한 사람을 돕고 보람을 찾는 모습이었다. 이건 좀 아닌 듯했다. 그때 로펌의 스카우트 제의를 받아들였다면 전혀 다른 삶을 살게 됐을 것이다. 국제변호사나 기업전문 변호사. 뭔가 고급스러워 보여서 오히려 내키지 않았다.

그냥 보통 변호사의 길을 가기로 했다. 이왕 그렇게 한다면 어머니도 모실 겸, 아예 부산으로 가는 게 좋을 것 같았다. 별 주저는 없었는데, 잠시 고민이 됐던 건 아내에 대한 미안함이었다. 음대를 나온 아내는 그때 서울시립합창단 합창단원으로, 서울에서 직장 생활을 하고 있었다. 대학 시절부터 내가 구속되는 걸 지켜보며 면회도 오곤 했던 아내는 부유함을 꿈꾸는 여자는 아니었다. 사법고시 된 것만으로 충분히 고마워했다. 그렇다 해도 서울에서 좋아하는 일을 하고 있는 서울 여자에게 부산으로 가자고 하니 미안했다. 다행히 동의해 줬다.

그렇게 해서 만난 게 노무현 변호사다. 나와 노 변호사를 연결시켜 준 건, 내 사법고시 동기이자 후임 민정수석을 하기도 한 박정규였다. 그 과정과 인연이 묘하다.

박정규는 사시에 늦게 합격했다. 우리 동기들 가운데 나이가 몇 번째

로 많았다. 그래서 일찌감치, 연수원 마치면 변호사의 길을 가겠다고 생각했던 것은 정작 그였다. 옛날 김해 장유암에서 노 변호사와 고시 공부를 함께 했던 인연이 있었다. 먼저 고시에 붙어 판사를 마치고 부산에서 변호사로 활동하던 노 변호사로부터 "같이 일하자"는 제의를 받은 터였다. 노 변호사는 연수원을 마치고 합류할 박정규를 위해 자신의 사무실에 방과 책상까지 모두 마련해 놓았다.

당시 변호사들은 개인 사무실을 운영하는 게 일반적이었다. 변호사들끼리의 동업은 안 된다는 고정관념이 많았다. 로펌은 서울에나 몇 군데 있을 뿐이었고, 지방은 다들 '1인 성주(城主)'였다. 그러나 노 변호사는 확실히 생각이 앞서고 깨인 분이었다. 변호사들이 함께 모여서 법률 업무를 전문화·분업화해 나가야 된다는 생각을 가지고 있었다.

판사를 거친 노 변호사는 1978년에 변호사 개업을 했는데, 잠시 혼자서 변호사 활동을 하다가 1979년부터 1980년 말까지 약 2년가량 다른 변호사 두 분과 합쳐서 합동법률사무소를 운영한 경험이 있었다. 〈가야합동법률사무소〉였다. 아마 부산에서 처음으로 생긴 동업 사무소였을 것이다. 그런데 뜻대로 안 됐던 모양이다.

변호사들의 전문화·분업화에 대해 일반인들의 인식이 없었기 때문이다. 찾아오는 고객들을 전문 분야별로 나눠 상담하려 해도, 고객들이 좋아하지 않았다. 전문 분야고 뭐고, 아는 변호사가 자기 사건을 맡아 주기를 원했다. 당신의 꿈은 높았지만 현실이 따라 주지 않았던 것이다. 그래서 한 번 실패를 맛보고 개인 사무실을 하다가 박정규를 합류시켜 다시 전문·분업 사무실을 만들어 보고 싶었던 것이다.

그런데 문제가 생겼다. 내려오기로 한 박정규가 검사로 임용된 것이다. 노 변호사가 준비했던 계획이 시작도 하기 전에 허사가 됐다. 그러니 박정규는 노 변호사에게 미안해하다가 마침 내가 변호사를 하게 되자 자기 대신 나를 소개한 것이다. 한번 만나 보라고 해 노 변호사를 찾아갔다. 나는 그때까지 노 변호사를 전혀 몰랐다. 생판 초면이었다.

* **사법연수원(연수원)** 사법시험에 합격한 사람들이 판사, 검사, 변호사가 되기 전에 거쳐야 하는 대법원 산하의 교육, 연수기관. 수습기간은 2년
* **유신(維新)** 1972년 10월 17일 대통령 박정희가 장기집권을 목적으로 단행한 초헌법적 비상조치. 기존의 모든 민주주의 제도를 정지시키고, 한국적 민주주의라는 미명 아래 장기집권 독재체제를 구축한 토대
* **법원행정처** 법관 인사는 물론 법원의 모든 예산, 회계, 시설 등에 관한 사무를 관장하는 기관. 처장과 차장을 두며, 처장은 대법원장의 지휘를 받음
* **위수령(衛戍令)** 어떤 지역에 군 병력이 주둔하면서 치안과 수비, 공공질서를 유지하게 하는 비상조치. 박정희 독재 때 각 대학에서 반정부 시위가 격화되면 해당 지역에 위수령을 발동. 위수령보다 높은 단계는 계엄령으로, 모든 권한이 군부대로 이관됨
* **긴급조치** 유신헌법에 의해, 대통령 권한으로 취할 수 있었던 특별조치. 당시 대통령 박정희는 이 조치를 발동함으로써 헌법상 국민의 자유와 권리를 잠정적으로 정지시킬 수 있는 막강한 권한을 갖게 됨. 주로 민주화 요구를 억압하고 학생과 야당정치인을 탄압하는 데 악용. 박정희는 이를 총 9차례 공포. 1980년 헌법 개정으로 폐지

동업자

노 변호사 사무실은, 법원 검찰청이 예전에 있었던 부민동이었다. 수수하다 못해 조금 허름한 건물이었다. 법원의 정문 쪽이 아니고 후문 쪽이었지만 사무실 내부 공간은 꽤 넓었다. 그곳에서 그분을 처음 만났다. 그 만남이 내 평생의 운명으로 이어질 줄은 상상도 못 했다. 처음 본 노 변호사는 젊었다. 1978년 개업을 했는데, 내가 개업하기 전까지 부산에서 제일 젊고, 고시 기수가 낮은 변호사였다. 인상적이었다. 무엇보다 느낌이 달랐다.

물론 내가 그때까지 법조인들을 많이 만나 본 건 아니었다. 하지만 사법연수원 들어가서부터 만났던 연수원 교수들(판사·검사), 고등학교·대학교 동문 법조인 모임에서 각각 만난 선배들, 판사·검사·변호사 시보* 하면서 만난 법조인들과는 분위기가 사뭇 달랐다. 그도 그럴 것이, 그때엔 다들 판사·검사로 시작해 한참 후에 변호사 개업을 하게 되니, 변호사라 해도 대부분 권위적인 분위기가 있었다. 목엔 힘이 들어가 있었다. 그러나 노 변호사는 판사 생활을 짧게 해서 그런지 아니면 원래 기질이

그런지 모르겠지만, 풍기는 분위기가 전혀 달랐다. 아주 소탈했고 솔직했고 친근했다.

그런 면에서 금방 동질감 같은 게 느껴졌다. 나와 같은 세계에 속한 사람이라는 느낌 같은 게 있었다.

차 한 잔을 앞에 놓고 꽤 많은 이야기를 나눴던 기억이 난다. 내가 학창시절 데모하다 제적 당하고 구속됐던 얘기, 그 때문에 판사 임용이 안 된 얘기…….

노 변호사는 자신이 변론했던 '부림사건'* 경험을 얘기하면서, 그런 일로 판사 임용이 안 된 것에 대해 진심으로 함께 분노해 주었다. 그리고 당신의 꿈을 얘기했다. 인권 변호사로서 어떻게 하겠다는 얘기는 아니었지만 깨끗한 변호사가 되고 싶다는 소망을 얘기했다.

특히 '깨끗한 변호사'는, 해 보니 마음처럼 쉽지가 않더라고 고백했다. 나하고 같이 일을 하게 되면 그걸 계기로, 함께 깨끗한 변호사를 해 보자고 했다. 따뜻한 마음이 와 닿았다.

업무를 전문화해서 사무실을 키워 나가고 싶다는 비전도 얘기했다. 서울의 로펌에서 받았던 솔깃한 제안 같은 것은 아무것도 없었다. 하지만 마음이 끌렸다.

그날 바로 같이 일을 하기로 결정했다. 사무실을 둘러봤다. 정말이지 나는 몸만 들어가면 될 수 있는 정도로 준비가 돼 있었다. 〈변호사 노무현·문재인 합동법률사무소〉에서 내 변호사로서의 인생이 시작되는 순간이었다.

또한 그와의 운명적 만남이 평생으로 이어지는 순간이었다.

* **시보(試補)** 어떤 관직에 정식으로 임명되기 전에 실제로 그 일에 종사하여 익히는 일, 또는 그런 직책

* **부림사건** 1981년 출범한 전두환 군사 독재 정권이 집권 초기, 통치기반을 확보하고자 민주화 운동 세력을 탄압하던 시기에 거짓으로 만들어낸 부산 지역 최대의 용공(容共) 조작사건. 1981년 9월 부산 지역의 양서협동조합을 통해 사회과학 독서모임을 하던 선량한 학생, 교사, 회사원 등을 영장 없이 체포한 뒤, 짧게는 20일에서 길게는 63일 동안 불법으로 감금하며 구타는 물론 '물고문'과 '통닭구이 고문' 등 살인적 고문을 가했다. 같은 해 7월 서울 지역 운동권 학생들이 무더기로 구속된 '학림(學林)사건'에 이어 터졌기 때문에 '부산의 학림사건'이라는 뜻에서 부림(釜林)사건으로 이름 지어짐

선배처럼 친구처럼

노 변호사는 나를 편하게 대해 주었다. 그분은 나를 '친구'라고 표현했지만, 사실이 아니다. 그 표현에는 사연이 있다. 대선을 치르던 2002년, 나는 부산 선거대책본부장을 맡았다. 부산 선대본부 출범식에서 노 후보가 후보 연설을 하면서 그 표현을 썼다. "사람은 친구를 보면 어떤 사람인지 알 수 있다고 하지 않습니까. 노무현의 친구 문재인이 아니고 문재인의 친구 노무현입니다" 이렇게 인사를 했다. 선대본부장이라는, 체질에 맞지 않는 직책을 맡아 준 후배에게 고마운 마음을 그렇게 표현한 것이다. 실제로는 나이도 여섯 살 차이가 나고, 고시도 5년 위면 대선배다. 그런데 그 말씀 덕분에 나는 지금도 과분하게 '노무현의 친구'라는 호칭을 듣고 있다. 노 변호사는 처음부터 나를 많이 존중해 주었다. 내게 늘 높임말을 썼다. 약간이라도 편한 높임말을 쓴 것은 내가 청와대에 들어가서부터였다. 그 전까지는 더 깎듯한 높임말로 나를 대우해 주었다. 나도 웬만하면 '형님' 이렇게 잘하는 성격인데도 그분께는 '선배님'을 넘어서서 '형님' 소리를 못 했다.

노 변호사가 나를 대해 주신 태도는 쉬운 일이 아니었다. 우선 당신은 판사도 거쳤고 변호사도 몇 년 했다. 변호사 업계에서도 상당히 기반을 닦아 경륜이 쌓인 변호사였다. 반면 나는 사법연수원을 갓 졸업한 완전 초짜였다. 그런 나와, 같은 분배 조건으로 사무실을 동업한다는 게 쉽게 생각할 수 있는 일이 아니었다.

변호사 동업이 힘든 것은 서로 스타일이 다르기도 하지만, 상대의 역량에 대해 서로 신뢰할 수 있어야 하기 때문이다. 예를 들면 누가 수임*을 했든 관계없이 서로 간에 사건을 잘 배분해서 업무가 분장되기 위해서도 신뢰가 필요했다. 이게 못 미더우면 동업을 할 수 없다. 나에게야 그분이 선배시니, 나보다 잘하리라 생각할 수 있었다. 하지만 당신은 내가 초짜여서 속으로 불안했을 법한데도 나의 사건 처리를 신뢰해 줬다.

동업하면서 시국 사건도 조금 중요한 것은 늘 공동으로 변호인을 맡는 경우가 많았다. 그때그때 각자의 업무량에 따라 주심 변호사를 정했다. 어떤 경우는 노 변호사가 주심을 맡았지만 내가 주심인 경우도 많았다. 그럴 때 그분은 내가 주심으로서 준비하고 끌어나가는 방향 그대로 늘 공감해 줬다. 단 한 번도 내가 하고자 하는 소송의 수행 방향 등에 대해 이견을 말씀한 적이 없다. 참으로 굉장한 신뢰와 존중과 대접을 해 준 것이다.

지금 생각해 보면 그 덕에 아주 안정적으로 변호사 생활을 시작할 수 있었다. 처음 변호사 하기로 마음먹었을 때 개업비용 조달부터 혼자 어떻게 하나 하는 걱정이 많았다. 그런 걱정에서 다 벗어날 수 있었다.

노 변호사와는 같은 아파트 단지에 살았다. 물론 먼저 기반을 잡은 그

분은 좀 넓은 평수 아파트를 소유해 살고 있었고 나는 작은 평수에 세 들어 살았지만, 편하게 교류했고 마음을 나눴다. 댁에 자주 놀러가기도 했고 그분 고향마을인 봉하에 함께 따라가기도 했다. 변호사 사무실 전 직원이 1년에 두 번 정도 가족들까지 데리고 야유회도 가는 인간적 분위기였다. 노 변호사가 술을 많이 하는 편은 아니었지만 술자리도 가끔 가지면서 즐거운 시간을 보냈다.

사무실 운영은 괜찮은 편이었다. 그 시기만 해도 전체 법조인 숫자가 적고 개업 변호사 수도 적을 때였다. 전관예우를 받는 경력자가 아니고 사법연수원 갓 마친 개업인데, 그것도 개업이라고 사건 수임이 괜찮았다. 이듬해부터 사법고시 숫자도 늘었고 변호사도 쏟아져 나왔다. 그런 혜택은 아마 내가 마지막이었을 것이다. 개업식을 하는데 어느 의사 부인이 개업광고 나간 신문을 오려서 들고 찾아왔다. 젊고 갓 개업했으니, 열심히 하지 않을까 하는 생각에서 왔다는 것이다. 민사사건이었는데, 첫 수임이었다.

반면 노 변호사는 나와 동업을 하면서 과거보다 사건 수임이 줄었다. 그 전까지만 해도 그분은 부산에서 가장 젊고 열심히 하고 사건도 많고 승소율도 높은, 아주 잘나가는 변호사였다. 그런데 나하고 같이 하면서 그동안 관행적으로 해왔던 사건수임 '소개비(커미션)'를 딱 끊었다.

지금은 소개비가 변호사법에 아예 금지조항으로 명시돼 있지만 당시엔 관행이었다. 법원이나 검찰직원, 교도관, 경찰관 등이 사건을 소개시켜 주고 소개비로 20퍼센트 정도를 챙기는 것이 보통이었다. 그게 점점 확대돼, 심지어는 은행이나 기업 법무팀에서도 사건을 보내 주면서 커미

변호사 사무실 전 직원이 1년에 두 번 정도
가족들까지 데리고 야유회도 가는 인간적인 분위기였다

션을 받았다. 노 변호사도 그런 관행에서 예외이기 어려웠다.

하지만 나와 동업을 하면서 커미션을 정말로 딱 끊었다. 우리가 처음 만난 날 내게 했던 말 그대로 실천했다. 판·검사 접대도 마찬가지였다. 그때만 해도 형사사건을 좀 하는 변호사들은 때때로 형사 담당 판사들에게 식사와 술을 대접하는 게 보통이었다. 재판 날에는 마지막 재판에 들어간 변호사들이 재판부에 식사와 술을 대접하는 관행도 있었다. 법원 주변에, 그럴 때 가는 '방석집'이라고 부르던 고급 음식점이 여러 집 있었다. 노 변호사도 한때 방석집에 자주 가는 단골손님이었다. 그 접대도 그만뒀다.

모두가 하는 관행을 혼자 끊는 것이 얼마나 어려운 일인가. 그런데도 그렇게 했다. 깨끗한 변호사. 아마 그분은, 내가 운동권 출신 변호사니까 당연히 그렇게 지향할 것으로 생각했을 것이다. 차제에 당신도 원래 해보고 싶었던 일을, 나를 핑계 삼아 실행을 하신 것으로 짐작된다. 선배 변호사로서 후배에게 부끄럽지 않고 본을 보여야 한다는 의무감도 있었을 것이다. 정말로 양심적이고 의지가 강한 분이었다.

그러자 사건 수임이 금방 눈에 띄게 줄어들었다. 은행의 고문 변호사도 두어 군데 하고 있었는데, 그것도 끊겼다. 그 때문에 당신이 혼자 할 때보다 수입이 꽤 줄었지만 개의치 않았다. 더구나 후에 인권 변호사로 나서면서 수입은 더 줄었으니, 그분의 법조인 생활에서 경제적으로 부유했던 기간은 실제 얼마 되지 않았다. 그래도 우리는 좋았다. 사무실 유지에는 별 문제가 없었다.

당시 부산은 말이 제2의 도시이지, 변호사가 그리 많지 않았다. 전체

등록된 변호사 숫자가 100명이 채 안 됐다. 그 가운데 등록만 하고 실제 활동하지 않는 분들을 빼면, 법정에서 만나 경쟁하는 변호사는 불과 절반 정도에 지나지 않았다. 나름대로 열심히 해서 성실하고 괜찮은 변호사로 평판을 쌓아 나갈 수 있었다.

법조사회는 보수적이어서 좋은 평판이든 나쁜 평판이든 한번 평판이 생기면 좀처럼 바뀌지 않는다. 나는 다행히 개업 초기에 부산 지역 법조계에 좋은 인상을 주었던 덕분에 두고두고 변호사 활동에 도움이 됐다.

부산 변호사 사회에서 우리는 꽤 관심의 대상이었다. 둘 다 젊은 데다 이력이 특이한 셈이었다. 그런 두 사람이, 부산에 하나밖에 없는 합동법률사무소를 운영하니 단연 주목의 대상이었다. 더 조심하고 더 노력해야 했다.

사건뿐 아니라 부산변호사회 활동도 열심히 했다. 특히 노 변호사는 부산변호사회 재무이사를 세 번이나 할 만큼 모두를 위한 일에도 열심이었다. 나이 든 분들이든 젊은 분들이든, 변호사들은 다 그를 좋아했다. 좋은 시절이었다.

* **수임** 계약에 의해 상대편의 법률 행위나 사무 처리를 맡음

인권 변호사의 길로

내가 노 변호사와 함께 일을 시작하기 전, 그분은 이미 두 건의 시국 사건을 맡아 '그 바닥'에 반 정도 발을 내디딘 상태였다. 이른바 '부림사건'과 '부산 미국문화원 방화사건'*이었다. 노 변호사가 첫 시국 사건으로 '부림사건'을 맡게 된 것은 인정 때문이었다. 선배 인권 변호사인 김광일 변호사가 그 사건에서 자금제공 혐의를 받게 됐다. 본인이 구속될 처지에 몰려 변호를 맡을 수 없게 되자 젊은 변호사들에게 변호를 맡아 줄 것을 부탁했다. 피고인 수가 많았기 때문에 젊은 변호사 여러 명이 사건을 나눠 맡았다.

그러나 사건을 맡게 되자 가장 열심히 했고, 변론을 주도했다. 피고인들이 당한 고문과 장기간의 불법구금을 생생하게 폭로한 것도 노 변호사였다. 처음 맡은 시국 사건이었지만 누구보다 치열하게 변론에 임했다. 그 때문에, 얼마 후 미국문화원 방화사건이 발생하자 또다시 공동변호인단 참여를 요청받게 됐다. 이번에는 이돈명, 유현석, 황인철, 홍성우 변호사 등 서울의 쟁쟁한 인권 변호사들과 함께였다. 이 두 사건의 변론으로

그분 인생이 바뀌게 되었다.

두 사건으로 부산 운동권은 거의 일망타진되다시피 했다. 한마디로 쑥대밭이 됐다. 게다가 살벌한 5공 초여서, 그때부터 1983년까지 부산에는 시국 사건이라고 할 만한 게 거의 없을 정도였다.

그러다가 83년 하반기에서 84년 초, 학원자율화조치 등 약간 숨 쉴 만한 사회적 공간이 생겼다. 애당초 무리한 조작사건이었기 때문에 부림사건 피고인들도 83년 말 모두 형집행정지로 석방됐다. 이들의 가세로 부산 지역의 재야 민주화 운동 세력은 활기를 되찾았다.

대학생들의 학생운동 사건과 노동 사건들이 터져 나오기 시작했다. 엄혹한 탄압에 시달리는 노동자들이 근로기준법의 준수를 요구하거나 노조 결성을 추진하다가 집단 해고되는 사건들도 생겨났다. 이들이 우리를 찾아오기 시작했다.

처음부터 인권 변호사의 길을 걸으려고 작정했던 것은 아니었다. 그러나 우리를 찾아오는 사건을 피하지 않았고, 그들의 말에 공감하면서 열심히 변론했다. 차츰 우리는 부산 지역 노동인권 변론의 중심 역할을 하게 됐다. 부산 지역뿐 아니라 그때까지 인권 변호사가 없었던 인근의 울산, 창원, 거제 지역 사건까지 맡게 됐다. 그 지역들엔 노동 사건이 많았다.

5공에 대한 저항이 거세지면서 대학에서는 삼민투, 민민투, 자민투*로 이어지는 조직사건들도 생겨났다. 학생운동의 이념화 경향도 뚜렷했다. 부산과 서울의 학생운동 조직이 함께 기획한 부산 미국문화원 점거농성 사건, 부산상공회의소 점거농성 같은 사건들도 도맡았다.

어느덧 우리는 부산 지역의 대표적인 노동·인권 변호사가 됐다. 우리

법률사무소는 부산을 중심으로 울산, 창원, 거제 등을 망라하는 지역의 노동인권사건을 총괄하는 센터처럼 돼 버렸다.

* **부산 미국문화원 방화사건** 1982년 3월 부산 지역 대학생들이, 광주민주화 운동 유혈진압 및 독재 정권 비호에 대한 미국의 책임을 물어 부산 미국문화원에 방화한 사건. 그 와중에 한 명의 학생이 목숨을 잃었다. 80년대 반미운동의 효시. 그러나 당시 전두환 군사 독재는 이를 간첩 등 불순분자의 소행으로 조작

* **삼민투, 민민투, 자민투** 삼민투는 삼민투쟁위원회의 약칭. 1985년 4월 전국학생총연합(전학련) 발족식을 통해 전국 34개 대학이 참여한 전학련 산하의 조직된 투쟁조직. '반미자주화 반파쇼민주화 투쟁위원회'(자민투)는 1986년 6월 서울대학교 사회대를 중심으로 결성된 학생운동조직으로 거의 같은 시기인 1986년 3월에 서울대학교 인문대를 중심으로 결성된 '반제반파쇼 민족민주 투쟁위원회'(민민투)와 함께 당시 학생운동을 주도

동지

각종 시국 사건을 거의 도맡게 되면서 지역의 재야인사들과도 가깝게 됐다. 그때 부산 재야를 이끈 분이 송기인 신부님과, 작고하고 지금은 안 계신 부산중부교회 최성묵 목사님이었다. 소설가 요산 김정한 선생은 연로하셨지만, 늘 우리를 격려해 주고 중요할 때엔 직접 나서 주기도 했던 정신적 지주였다. 이분들을 중심으로 1984년 무렵부터 재야 민주화 운동 단체와 인권단체가 복원되기 시작했다. 석방된 부림사건 멤버들이 주로 실무 역할을 맡았다.

1984년에 처음 복원된 재야 민주화 운동 단체가 공해문제연구소 부산지부였다. 공해문제연구소는 정호경 신부님이 이사장을 맡았고, 최열 씨가 실무 일을 꾸렸다.

부산에선 그 이름만 지부로 빌렸을 뿐 실제로 그쪽과 연계가 있었던 건 아니었다. 그때만 해도 민주화 운동을 직접 표방하기가 두려웠던 시기라 에둘러 반(反)공해운동을 표방한 것이다. 물론 부산의 재야인사들이 거의 다 모인 단체였다. 송기인 신부님이 대표를 맡았다.

처음에는 내가 먼저 발기인으로 참여를 했다. 정식 출범할 때 노 변호사도 함께 참여했다. 같이 이사직을 맡았다.

이듬해인 1985년 부산민주시민협의회(약칭 부민협)가 설립됐다. 서울의 민통련과 같은 성격이었다. 부산의 모든 재야를 망라하는 조직이었다. 부산 민주화 운동의 구심체를 마련한 것이다. 후에 1987년 6월항쟁*을 주도한 국민운동본부도 부민협이 중심이 됐다. 부민협 대표도 송기인 신부님이 맡아 주셨다.

탄압을 각오해야 했던 시기여서 '3·1운동' 식으로 33명이 비장하게 대표 발기인으로 나섰다. 나는 노 변호사와 처음부터 발기인으로 참여했다. 나중에 상임위원도 맡았다. 노 변호사는 노동분과 위원장을 맡았고 나는 민생분과 위원장을 맡았다.

그것으로 둘 다 재야운동에 깊숙이 발을 내디뎠다. 노 변호사나 나나 개신교 신자는 아니었지만 나중에 만들어진 부산NCC 인권위원회에도 인권위원으로 함께했다. 사람이 많지 않으니 민주화 운동 단체나 인권단체에 두루 발을 걸치지 않을 수 없었다. 변호사로서의 의무나 사명이라고 생각했다.

시국 사건도 마찬가지였다. 도움의 손길을 필요로 하는 일을 마다할 수 없었다. 부산에 내려오면서 '내가 꼭 인권 변호사가 되겠다' 이렇게 목표를 세운 적은 한 번도 없다. 노 변호사를 처음 만난 자리에서도 그렇게 말씀드렸다. "나는 인권 변호사를 하겠다거나 그걸 목표로 삼고 있는 건 아닙니다. 그러나 그런 사건들이 올 경우에 피하지는 않을 겁니다." 그대로 했을 뿐이다. 달리 사건을 맡아 주는 변호사들이 없으니, 한번 사건을

맡자 봇물처럼 밀려들었다. 어쩔 수 없었다.

사건을 나눠서 따로 맡는 경우도 있었고 약간 중요한 사건은 공동으로 같이 맡았다. 피고인이 여러 명인 시국 사건은 피고인별로 분담했다. 둘이 나란히 법정에 선 적도 많았다. 변호사로서 노 변호사나 나는, 기질이나 성격보다도 사건을 다루는 자세와 태도 같은 게 잘 맞았다.

재야단체에도 대부분 함께 참여했고, 단체 내의 역할도 분담했다. 나 혼자 참여한 분야가 딱 한 군데 있었다. 천주교 쪽 운동단체였다. 천주교 사회운동협의회, 천주교 정의구현전국연합, 천주교 인권위원회, 천주교 정의평화위원회 등의 단체엔 나 혼자 참여했다. 내가 가톨릭이었기 때문이다. 사실 신자가 된 지는 오래됐지만 신심이 독실하지 못해 성당에 잘 나가지도 않는 터에 천주교 단체에서 직책을 맡으려니 민망하기도 했다.

그러나 변호사의 역할이 꼭 필요하다는 요청을 고사할 수도 없었다. 그런 인연으로, 독실한 신자도 아니면서 청와대에 있을 때 천주교와의 창구 역할을 했다. 김수환 추기경님도 몇 번 찾아뵙고 인사드렸다. 참여정부 때 추기경이 2명으로 늘었는데, 그 일을 위해 노 대통령의 친서를 바티칸에 보내고 할 때 가교 역할을 했다.

노동·인권 변호사의 길을 걷다 보니 돈 많이 버는 변호사는 되지 못했다. 나는 원래 각오한 일이었다. 처음부터 생활의 규모를 키우지 않았다. 사법시험에 합격해 변호사가 된 것만 해도 고마워하던 아내도 협조했다. 하지만 한때 수입이 괜찮았던 노 변호사는 쉬운 일이 아니었을 것이다. 수입이 준 만큼 생활비를 줄여야 했을 테니, 누구보다 권양숙 여사님이 마음고생이 심했을 것이다. 그러나 그때만 해도 약과였다. 노 변호사는

나중에 노동 사건만 하면서 월 200만 원 봉급만 받아 가기도 했다.

시국 사건과 재야 민주화 운동을 하면서 노 변호사와 나는 두 가지를 각별히 신경 썼다.

첫째는, 우리 스스로 깨끗해야 했다. 당시 독재 권력이 흔히 쓰는 수법을 잘 알고 있었다. 비리나 약점을 찾아 협박하거나 옴짝달싹 못 하게 하는 수법이다. 뒷조사로 탈세, 사생활 비리 등을 캐내 사람 망신 주는 것은 일도 아니었다. 자칫 잘못하면 신세 망치고, 민주화 운동에도 누를 끼칠 수 있었다. 대의와 양심에 어긋나지 않게 절제하고 조심했다.

사소하게는 커미션 없애는 것부터 시작해 세무 신고도 철저히 했다. 사생활도 나름대로 아주 엄정하려고 노력했다.

특히 노 변호사는, 마치 운동에 처음 뛰어든 대학생처럼 열정이 넘쳤다. 또한 헌신적이었다. 당신의 삶 자체를 민중적인 삶으로 바꿔야 한다는 생각을 가졌다. 이전의 생활방식을 바꾸려고 노력했다. 식사도 비싼 음식을 피했고, 술도 비싼 술을 피했다. 좋아하던 요트 스포츠도 그만뒀다. 입으로만 '민중! 민중!' 하고 외치는 위선을 싫어했다. 그만큼 순수하고 철저했다. 하여튼 삶 자체를 도덕적으로 바꾸려고 노력했다.

그런 생각 때문에 나는 지금까지 골프를 시작하지 못했다. 그 시절 골프장 건설을 강력하게 반대하는 환경운동가들의 주장에 동조하면서, 다른 한편으로 골프를 친다는 것은 용납할 수 없는 일이라고 생각했기 때문이다. 그 후 골프가 대중화되면서 골프에 대한 부정적인 생각은 없어졌다. 그 다음에는 시간 여유가 생기지 않았다.

술도 마찬가지다. 양주나 와인보다 소주나 막걸리가 편하다. 술은 1차

에서 끝내고, 내가 선택할 수 있는 한 폭탄주도 마시지 않는다. '민중'을 말하는 사람들이 말 다르고 행동 다르면 안 된다고 생각했기 때문에 나름대로 정한 원칙이었다.

폭탄주를 마시지 않게 된 데는 다른 사연도 있다. 부민협이 설립된 그 해 말 무렵에 부민협 관계자들과 안기부* 부산분실 사람들이 함께 술을 마시게 됐다. 그쪽에서 한번 만나자고 요청해 마련된 자리였다. 우리 쪽은 나를 비롯해 신부님, 목사님 같은 분들이었고, 그쪽은 분실장과 재야담당, 종교담당, 법조담당 등이었다.

서로 웃으며 대화를 나눴으나 마음을 풀 수 없는 자리였다. 소주를 마실 만큼 마신 뒤 마치려는데, 육사 14기 출신이라는 분실장이 폭탄주를 한잔 하자고 했다. 그때만 해도 폭탄주라는 것이 일반 사람들에게 알려지기 전이어서 우리 쪽 사람들은 모두 폭탄주가 처음이었다. 분실장이 요령을 설명하고 시범을 보인 후 술잔을 돌렸다. 여러 잔씩 돌아가자 다들 나가떨어져서, 결국 분실장과 나 두 사람만 남게 됐다. 나도 많이 취했지만 지지 않으려고 억지로 버티고 있었다.

그렇게 열 잔쯤 마셨을 때 분실장이 화장실을 가기에 나도 뒤따라갔다가 우스워 죽을 뻔한 장면을 봤다. 분실장이 소변을 보는 게 아니라, 거울 앞에 서서 자신의 양 뺨을 큰 소리가 날 정도로 철썩철썩 때리고 있었다. 그 역시 지지 않으려고 안간힘을 쓰고 있었던 것이다. 그것으로 술자리는 끝났다. 하지만 누구나 예외 없이 억지로 마실 것을 강요하는 획일적인 군대식 음주문화의 극단적인 모습으로 느껴졌다.

둘째는, 시국 사건에서도 단지 변론뿐 아니라 수사와 재판절차까지 형

사소송법의 규정을 관철하려고 노력했다. 시국 사건 법정이야말로 형사소송법의 절차가 완벽하게 지켜져야 한다고 믿었다. 특히 대학생 시국사범의 재판은 더더욱 그러했다. 그들을 재판하면서 법절차를 지키지 않는다면 기성세대가 무슨 말로 그들을 나무랄 수 있을 것인가.

내가 변호사 개업할 당시만 해도 법정에서 형사소송법을 지키지 않는 관행이 수두룩했다. 피고인을 서서 재판 받게 하는 건 기본이었다. 포승줄로 묶어 놓고 수갑을 채워서 재판하는 일이 다반사였다. 하나하나 법조문을 들이대며 시정할 것을 재판장에게 요구했다. “수갑을 풀어 주십시오”, “포승을 풀어 주십시오”, “의자를 준비해서 앉게 해 주십시오.”

형사재판의 잘못된 관행이 하나씩 고쳐졌다. 시국 사건 피고인에게 재판 받는 동안 포승줄과 수갑을 채우지 못하게 되자, 그 대신 교도관들이 피고인의 좌우에 팔을 끼다시피 바싹 붙어 앉기도 했다. 그러나 그것도 신체의 구속이기는 매일반이었다. 수갑 대신 사람에 의한 신체의 구속이었다. 그것도 항의해서 못 하게 했다. 한 번은 시국 사건 피고인이 수갑도 차지 않고 포승줄로 묶이지 않았는데도 움직임이 어색했다. 이상해서 물어봤다. 피고인의 팔꿈치 윗부분을 포승줄로 묶은 뒤 그 위에 수의를 입혀 신체의 구속이 없는 양 위장한 것이었다. 그것을 보고 재판장까지 나서서 교도관을 나무란 일이 있다.

시국 사건 재판에서 방청을 제한하기 위해 사복경찰이 미리 방청석을 차지하는 방법으로 방청객 입장을 막기도 했다. 그래서 재판장에게 방청석을 차지하고 있는 사복경찰들을 내보내 줄 것을 요구했다. 그 요구를 받은 재판장이 방청객들의 신분을 확인하자 태반이 경찰임이 확인돼 함

께 놀란 일도 있었다.

피고인의 모두진술*권을 놓고는 재판장 등과 여러 번 논쟁하기도 했다. 형사소송법 조문만으로는 안 됐다. 주석서*와 법원실무제요*의 법조문 해설까지 들이밀어, 모두진술권이 피고인의 권리임을 인정받았다.

우리는 검사의 반말 신문도 그냥 넘어가지 않았다. 재판장에게 주의를 주도록 요구했다. 특히 노 변호사는 검사가 피고인을 부당하게 윽박지르거나 반말을 하면 결코 좌시하지 않았다. 여지없이 "왜 반말하고 그래!"라며 호통을 쳤다. 검사의 잘못에 대한 강력한 항의이기도 했지만, 피고인을 주눅 들지 않게 도우려는 행동이었다.

수사도 마찬가지였다. 우리는 시국 사건의 강압수사를 막기 위해, 가급적 연행 초기에 접견 가는 것을 방침으로 정했다. 그런데 경찰은 수사 중임을 이유로 접견을 거부하기 일쑤였다. 대공분실*에서 조사하는 사건의 경우, 대공분실에서는 사람이 유치돼 있는 경찰서로 가라 하고, 경찰서로 가면 대공분실에 가서 신청하라며 헛걸음하게 만들었다. 그렇게 접견을 방해하는 일이 예사였다. 과거에는 그래도 따지는 사람이 없었다. 우리는 그런 일에 강력히 항의했다. 우리의 항의만으로 해결되지 않으면 변호사회에 문제제기를 했다. 그렇게 변호사회를 통해 부산시경으로부터 '시정하겠다'는 답변을 받아내기도 했다. 노 변호사는 변호인 접견을 여러 차례 거부하고 방해한 경찰서 수사과장을 고소하기도 했다.

그런 일들을 통해 재판과 수사의 잘못된 관행을 많이 고치게 했다. 그런 노력이 시국 사건에서 결실을 이루면, 그것이 금방 일반 사건에까지 확산됐다. 지금은 그런 관행들이 거의 사라졌다. 불과 얼마 전의 일인데

도, 젊은 법조인들은 그런 시절이 있었다는 걸 쉽게 믿으려 하지 않을 정도로 달라졌다.

* **6월항쟁** 1987년 6월 전국적으로 일어났던 민주화 운동 국민항쟁. '6·10 민주항쟁'이라고도 한다. 전두환 군사 독재가 국민의 민주화 열망을 억압하고 장기집권을 획책하는 와중에서 서울대생 박종철 군이 고문으로 숨진 사건이 도화선. 게다가 전두환과 같은 군사 쿠데타의 주역 노태우가 차기 대통령 후보로 선출되면서 국민의 분노가 폭발. 약 한 달여간 전국적으로 500여만 명 이상이 참가
* **안기부** 국가정보원의 옛 명칭. 당시 정식 명칭은 국가안전기획부
* **모두진술(冒頭陳述)** 공판절차는 모두(冒頭)절차와 심리절차로 구분된다. 모두절차는 피고인에 대한 인정신문, 검사의 모두진술, 그리고 피고인의 모두진술로 이루어진다. 피고인은 모두진술을 통해 검사의 기소내용 전반에 반박 의견을 밝힐 수 있도록 보장받고 있다. 즉 죄형법정주의와 무죄추정 원리에 의해 피고 자신에게 이익이 되는 사항을 초반에 진술할 수 있는 권리가 있음
* **주석서(註釋書)** 원전이 되는 책의 낱말이나 문장의 뜻을 쉽게 풀이한 내용을 담은 책
* **법원실무제요(法院實務提要)** 법원행정처가 발간하는 판사들의 실무지침서
* **대공(對共)분실** 경찰 내 간첩사건 수사 전담 부서인데 사실상 시국 사범 관련 수사를 전담하면서 고문수사, 용공조작으로 권력의 하수인 노릇을 하는 조직으로 전락. 분실은 그 업무를 취급하던 별도 건물을 말함

열정과 원칙

그때의 노 변호사를 생각하면 참 치열했다는 생각이 든다. 마치 신앙을 처음 가지게 된 교인이 오래된 교인보다 더 신앙 생활에 열정적인 것 같은 그런 모습이었다. 나는 '변호사니까 내가 할 수 있는 행동의 선은 여기까지다'라는, 스스로 설정한 행동의 한계가 있었다. 나뿐 아니라 모두가 그랬다. 변호사는 변호사의 방식이 있다는 것이 일반적인 생각이었다. 노 변호사는 그렇지 않았다. 경계가 없었다. 옳다고 생각하는 그대로 실천하고 행동했다. 후일 정치인 노무현도 같았다.

공해문제연구소 부산지부가 출범하자 거기서 활동하는 사람들은 정보기관의 감시 대상이었다. 정보과 형사들이 사무실 앞에 진을 치다시피 하면서 실무자들의 활동을 감시하고 출입자들의 동태를 감시했다. 사무실에도 수시로 들락거렸다. 그러자 노 변호사는 변호사 사무실 방 한 칸을 연구소 사무실로 내줬다. 사무실 제공을 통한 재정 지원을 겸해, 기관원들을 막아 주기 위해서였다. 여전히 기관원이 사무실 앞에 상주하기는 했지만 감히 사무실로 들어오지는 못했다.

한 발 더 나아가, 변호사 사무실에 노동법률사무소까지 부설하기도 했다. 그 전까지 우리가 한 일은, 노동 사건이 발생하면 재판과 변론을 도와주는 것이었다. 변호사들의 방식이었다. 노 변호사는 거기에 만족하지 않았다. 노동조합의 설립부터 시작해 노동조합의 일상 활동을 돕고자 했다.

부산민주시민협의회 창립대회를 하는 날이었다. 행사는 1부 강연회, 2부 창립대회로 예정돼 있었다. 1부 강연 연사가 조갑제* 씨였다. 그때까지만 해도 그는 「국제신문」 해직기자로서, 지역에서 좋은 평가를 받고 있었다. 경찰이 행사장인 강당을 원천봉쇄해 1부 강연회부터 아예 들어가지 못하게 했다. 모두 경찰의 원천봉쇄의 불법성을 규탄했다. 그래도 경찰이 꿈쩍 않자 노 변호사는 대로 바닥에 그대로 드러누워 버렸다. 혼자서 구호를 외치며.

그 일로 단번에 과격한 변호사로 소문났다. 변호사의 품위 문제 아니냐는 말도 있었다. 그러나 경찰의 불법적인 원천봉쇄에 점잖게 항의하는 시늉만 하고 넘어갈 수 없다는 게 그분 생각이었다. 그 일에 대해 우리는 부산시경국장(지금의 부산경찰청장)과 관할 경찰서장을 형사 고소했다. 노 변호사가 대표 고소인이 되었으나 제대로 수사도 하지 않고 흐지부지 넘어갔다.

나중의 일이지만, 1987년 고(故) 박종철 군* 추모 집회로 같이 연행됐을 때도 그랬다. 잡혀가서 조사를 받게 됐다. 나는 조사에 응하면서 정당성을 주장하는 식으로 임했다. 나중에 알게 됐지만, 노 변호사는 아예 진술을 거부했고 서명날인조차 거부했다. 연행되어 조사받는 자체가 불

법·부당하므로 일체 조사에 응할 수 없다고 버틴 것이다. 처음 겪는 상황이고, 더구나 변호사로서 조사 자체를 거부하는 것은 쉽지 않았을 것이다. 그런데도 불구하고 자신이 옳다고 생각하는 대로 뜻을 고수한 것이다.

나는 이것이 후일 정치인이 된 노무현의 원칙주의라고 생각한다. 대의를 위해 자신에게 불리한 길까지 선택하는 것이 그의 원칙주의라는 건 많은 사람들이 이미 알고 있다. 그뿐 아니다. 대의를 위한 실천도 한계를 두지 않고 철저한 것. 이것이 그의 또 다른 원칙주의다. 말하자면 지역주의 타파라는 대의를 위해서도, 종로에서 국회의원 계속하면서 얼마든지 노력할 수 있다고 생각할 수 있었을 것이다. 그러나 그는 자신이 지역주의 타파를 주장하는 이상, 자신의 온몸으로 지역주의와 부딪혀야 하는 사람이었다. 나는 이 점에서 그를 따라갈 수 없었다.

5공에 대한 저항이 점차 거세지면서 집회 시위가 잦아지자 주요한 집회 시위가 있을 경우 경찰이 사무실에 찾아와서 참가를 못 하도록 막기도 했다. 이른바 '사무실 연금'이었다. 변호사에게도 그런 일이 자행되던 시대였다. 그런 집회 시위가 있으면 경찰을 어떻게 따돌리고 갈 것인지늘 궁리해야 했다. 아예 사무실에 안 들어오기도 하고, 들어왔다가도 어떻게든 따돌려서 가기도 했다. 정보과 형사가 우리를 따라 집회 시위 장소까지 동행하는 일도 있었다.

내 집이 압수수색을 당한 일도 있다. 아파트에 살 때인데 형사들이 경비실에서 2~3일간 죽치고 있더니 어느 날 정식으로 압수수색 영장을 발부받아 왔다. 압수수색 사유는 5·3인천사태* 관련자 중 한 명이 우리 집

에 은신하고 있다는 혐의가 있다는 것이었다. 확인해 보니 '익명의 시민이 전화로 제보해 왔다'는 경찰관의 보고서 한 장이 유일한 소명자료였다. 어이없는 일이었다. 현직 변호사를 상대로 그런 영장이 발부되고, 공안검사가 청구하면 판사가 영장까지 발부해 주던 어둠의 시대였다.

노동자들의 의식이 깨면서 노동 사건들이 터져 나오기 시작했다. 나도 그렇지만 노 변호사는 학생 사건보다 노동 사건을 훨씬 좋아했다. 주장과 논리가 늘 비슷한 학생 사건과 달리, 노동자들의 삶의 아픔이 담겨 있었기 때문이다.

그 무렵 부산의 주력산업이던 신발공장의 여성 노동자들 처우는 형편없었다. 잔업과 특근을 모두 합해서 월급 6~7만 원대에 그나마 체불하기 일쑤였다. 작업장 내 인격 모욕과 성희롱도 다반사였다. 생존권적 차원에서 근로기준법 준수를 요구하고, 조금 후에는 노조 결성을 추진하다가 집단 해고된 여성 노동자들이 많았다. 그리고 자구 차원의 집단행동을 하다가 업무방해죄로 구속되는 노동자들도 많았다. 그들을 만날 때마다 마음이 아팠다. 둘이서 무료 변론으로 힘껏 변론했지만 구제해 주지 못한 사람들도 많았다.

노 변호사는 그런 사건들을 겪으면서 아예 노동변호사가 되겠다고 작심했다. 변호사 사무실에 부산노동법률상담소를 부설한 것도 그런 차원이었다. 우리 스스로 전문성을 더 쌓기 위한 목적도 있었다.

그 무렵 노동법 책들은 대체로 보수적인 관점이었다. 그 시대에 분출돼 나오는 노동 사건들을 다루는 데 별로 도움이 되지 않았다. 당시 가장 진보적이면서 노동현실에 부합하는 이론을 제시하고 있던 신인령

교수의 논문집이 큰 도움이 됐다. 하지만 그 논문집이 다루지 않은 문제들이 더 많은 실정이었기 때문에 스스로 공부하지 않을 수 없었다. 판·검사들도 노동법을 알지 못한 채 시민법적 사고로 사건을 다루던 시절이었다.

한편으로는, 우리가 이미 발생한 사건의 변론만 도와주는 것으로는 한계가 있다는 각성이었다. 노조 설립과 노동자들의 일상 활동부터 돕지 않으면 안 된다고 생각했다. 그 역할을 하고자 한 것이 노동법률상담소였다.

노 변호사의 경우 너무 열심히 한 것이 나중에 후배 변호사들에게 부담이 될 정도였다. 한참 뒤에 창원에서도 노동변호사 후배들이 생겼는데, 감당 못 하고 지역을 떠난 변호사들도 있었다. 노동자들이 자꾸 옛날의 노 변호사와 비교를 하는 게 큰 부담이었을 것이다. "노 변호사는 무료 변론에, 법정에서 같이 싸워도 주는데, 당신은 그렇게 안 해 주냐"고 하니 어쩌겠는가. 너무 헌신적인 게 꼭 좋은 것만은 아니라는 생각이 들었다.

노 변호사는 86년 하반기부터 인권 변호사 업무에만 전념했다. 일반 사건은 아예 맡지 않았다. 시국 사건만 맡겠다고 했는데, 거의 대부분 노동 사건이었다. 사건 변론뿐 아니라 노동조합이나 노동자들을 상대로 강연도 많이 다녔다. 노동자들의 행사에 초청받아 다니기도 했다. 그 대신 사무실에서 월 200만 원 월급만 받아 갔다.

나중에 87년 6월항쟁 이후 노동자대투쟁* 때 부산을 둘러싸고 있는 울산, 창원, 거제는 한국노동운동의 중심이 됐다. 실정법상으로는 모조리 불법파업이었으며, 폭력적이기도 했던 대형 파업사건들. 그 많은 사건들

이 땅의 노동운동이 뜨겁게 분출하던
그 역사적 현장에
우리도 함께한 것은
두고두고 큰 보람이 아닐 수 없다.

거의 대부분, 어쩌면 전부를 우리가 맡아 변론했다. 이 땅의 노동운동이 뜨겁게 분출하던 그 역사적 현장에 우리도 함께한 것은 두고두고 큰 보람이 아닐 수 없다.

* **조갑제** 「월간조선」 편집장 및 사장 출신의 극우 보수논객

* **고(故) 박종철(朴鍾哲) 군** 1987년 1월 치안본부 남영동 대공분실에서 조사를 받던 중 고문·폭행으로 사망한 서울대생. 경찰은 단순 쇼크사라며 고문치사를 은폐하려 했지만, 물고문과 전기고문의 심증을 굳히게 하는 부검의(剖檢醫)의 증언으로 사건발생 5일 만인 19일 고문치사 사실을 공식 시인. 고문 경관들은 구속. 6월항쟁의 촉발선이 됨

* **5·3인천사태** 1986년 5월 3일, 재야 및 학생운동 세력 1만여 명이 국민헌법제정 등을 요구하며 벌인 대규모 시위. 319명이 연행됐고 129명이 구속됐으며 전두환 독재가 운동권 탄압을 본격화하는 계기가 됨

* **노동자대투쟁** 1987년 6월항쟁으로 시작된 민주화 열기가 노동계로 확산되면서, 전국 8990여 개 노조 200여만 명이 동참하는 노동자대투쟁으로 점화. 당시 저임금과 장시간 노동, 열악한 노동환경에 시달리던 전국의 노동자들이 참가. 한국 노동운동사에 획을 긋는 중요한 사건

87년 6월, 항쟁을 하다

밤이 깊으면 새벽이 멀지 않듯, 독재 정권의 폭압은 민주화의 여명을 불러오고 있었다. 부산에서도 그런 징후가 하나둘씩 느껴졌다. 먼저 민주화 운동 조직들이 여기저기서 꿈틀대며 기지개를 켜기 시작했다.

80년대 초반 이른바 '부림사건'과 '부산 미국문화원 방화사건'은 가뜩이나 탄탄하지 않던 부산 민주화 운동권 저변의 싹을 잘라 버린 셈이었다. 그러나 그때 투옥됐던 사람들이 대거 출옥하면서 여러 단체에 뿌리를 내리고 활동하기 시작했다. 기반이 넓어졌다. 생기도 돌았다.

1987년 1월, 서울대생 박종철 군 고문치사 사건이 발생했다. 경찰총수는 황당하게도 "수사관이 책상을 '탁' 치며 추궁하자 갑자기 '억' 하고 쓰러져 숨졌다"고 발표했다. 온 국민이 분노했다. 부산은 더했다. 희생자는 부산 출신이었다. 그의 부모도 부산에 살고 있었다. 49재도 부산에서 치렀다. 독재 정권의 폭압에 대한 분노가 부산에서 가장 뜨겁게 끓어올랐다.

2월 7일, '박종철 군 국민추도회 준비위원회'가 고 박종철 군 국민추도

회를 전국 각지에서 일제히 개최했다. 노 변호사와 나도 준비위원으로 참여했다. '부산 지역 국민추도회'를 실제로 준비하고 주관한 것은 부민협이었다.

추도회 장소로 우리가 정한 곳은 부산 시내 중심지에 있는 사찰 '대각사'였다. 그런데 경찰은 대각사를 아예 원천봉쇄해 접근조차 못 하게 했다. 경찰 병력이 대각사 주변을 몇 겹으로 둘러쌌고, 진입을 시도하는 시민들에게 최루탄을 쐈다. 대각사 주변에 몰려든 대학생들이 "종철이를 살려내라"는 구호를 외치며 경찰과 대치했으나 대각사 진입은 불가능했다.

그냥 물러날 수는 없는 일이었다. 부민협 사람들이 길거리에서 긴급회의 끝에 남포동 부산극장 앞 도로에서 약식 추도회를 열기로 했다. 은밀히 사람들을 그곳으로 모았다.

약속된 오후 2시, 300여 명의 시민·학생들이 모인 가운데 약식 추도회를 전격 개최했다. 애국가와 운동가요를 부르고, 규탄 연설을 하고, 노 변호사가 즉석 추도사를 했다. 1979년 부마민주항쟁 이후 처음으로 열린 가두시국집회였다. 금세 시민들이 모여들어 도로를 가득 메웠다.

뒤늦게 알아차린 경찰이 주변을 포위하고 백골단*과 함께 진입해 왔다. 두려움 때문에 동요하는 시민·학생들을 보호하기 위해, 부민협 상임위원급 인사들이 시민·학생과 경찰 사이를 가로막고 도로 바닥에 앉아 연좌농성에 들어갔다. 노 변호사도 나도 함께 앉았다.

그러자 경찰은 앉아 있는 사람들을 향해 최루탄을 마구 쏴 댔다. 피할 수도 없어서 고스란히 맞을 수밖에 없었다.

경찰들이 달려들어 번쩍 쳐들고는 닭장차*에 강제로 태웠다. 최루탄 때문에 닭장차에 태워진 후에도 한참 동안 눈을 뜰 수 없었다. 그길로 부산시경 대공분실로 연행됐다. 이날 약식 추도회의 성공적 개최는 우리가 연행된 후에도 저녁까지 1만여 명의 가두시위로 이어졌다. 그것이 6월항쟁의 기폭제가 됐다.

경찰은 그날 집회와 시위로 연행된 사람들을 분류해 변호사, 종교인, 재야단체 간부, 청년, 학생 중 각 1명씩 구속영장을 청구했다. 변호사로는 그날 도로 바닥에 함께 연좌했던 김광일, 노무현 변호사와 나 3인이 연행됐고, 변호사대표로 노 변호사에게 구속영장이 청구됐다.

그 무렵 노 변호사는 이미 부산의 인권 변호사 중 가장 골치 아픈 존재가 돼 있었다. 또 연행 이후 진술거부로 일관했던 태도도 작용했을 것이다. 당시 법률로는 긴급구속이든 현행범 체포든 어떤 경우라도 48시간 이내에 영장이 발부되지 않으면 풀어 줘야 했다. 그런데 경찰은 구속영장을 청구하지 않은 김광일 변호사와 나까지 포함해 우리 모두를 48시간이 지난 후에도 석방하지 않고 계속 구금했다.

시간을 정확히 재고 있다가 드디어 48시간이 됐을 때 '우리는 집에 가야겠다'고 나섰다. 못 가게 전경들을 동원해 복도를 가로막았다. 구호를 외치고 대치하다가 할 수 없이 방으로 돌아오고, 다시 나가서 구호를 외치면서 대치하는 상황을 한 시간 간격으로 반복했다. 연행 시각이 2월 7일 오후 2시 30분쯤이었는데, 김광일 변호사와 나는 결국 48시간을 훨씬 넘긴 2월 9일 저녁 6시쯤에야 석방됐다.

석방되자마자 노 변호사에 대한 걱정 때문에 사무실로 갔다. 그때부터

상황을 확인해 보니 노 변호사는 구속영장이 이미 기각된 상태였다. 그런데 검찰이 영장을 재청구했다는 것이다.

구속영장이 기각되면 당연히 석방해야 하는데도, 석방하지 않고 영장 기각 사실도 숨긴 채 재청구를 한 것이다. 분노가 치밀었다. 가만히 있을 수 없었다.

먼저, 재청구된 영장을 담당하는 당직부장판사실로 찾아갔다. 영장을 재청구한 부산지검 공안부장이 그 방에 와 있었다. 어이가 없었다. 내가 일부러 큰 소리로 항의했다.

"공안부장이 왜 여기 있나. 지금 판사에게 영장 발부를 종용하는 것 아닌가. 영장이 기각됐는데 왜 사람을 석방하지 않나. 문제 삼겠다!" 모두 들으라고 큰 소리를 쳤다. 공안부장이 얼굴이 벌개져 어쩔 줄 모르다 도망치다시피 나갔다.

마침 그 시간에 대한변협 인권위원장 유택형 변호사와 인권위원 하경철 변호사가 진상조사차 내려왔다가 판사실로 왔다. 두 분은 대한변협 차원의 진상조사를 강조하면서 이미 기각된 구속영장의 재청구를 받아주면 대한변협이 가만있지 않을 것이라고 압박했다.

노련한 유택형 변호사는 그 와중에도 은근히 판사에게 겁을 줬다. "지금 대한변협이 회칙 개정안을 이사회에 상정해 놓은 상태다. 시국 사건에서 반인권적 처사를 한 판·검사들의 변호사 등록을 거부하도록 하는 내용이다." 부당하게 영장을 발부하면 나중에 판사 그만둘 때 변호사 등록이 안 되는 수가 있다는 으름장이었다. 실제로는 대한변협 인권위원회 내부에서 그런 논의가 있었을 뿐 회칙 개정안이 이사회에 상정까지 된

것은 아니었다.

당직부장판사는 영장을 놓고 고심하다 기록을 놔두고 그냥 퇴근해 버렸다. 잠시 식사하러 나간다고 하고는 돌아오지 않고 잠적해 버린 것이다. 아주 현명한 처리였다. 검찰은 영장 재청구를 정식접수처리하지 않고, 공안부장이 당직부장판사에게 영장청구서를 들고 가 발부를 부탁한 상태였다. 따라서 부장판사가 처리를 안 하고 가 버려도 검찰로선 할 말이 없는 상황이었다. 당시 시국 사건에서 그와 같은 구속영장 비밀청구가 횡행했는데, 그러다 한 방 맞은 셈이었다.

검찰은 발칵 뒤집혔다. 난리가 났다. 현직 변호사에 대한 구속영장 청구는 대검공안부의 지침에 의한 것이었고, 법무부 장관에게 보고해 승인받은 일이었다. 그러니 영장을 발부받지 못하면 부산지검 공안부가 무능의 책임을 지게 되는 것이다.

밤새 노 변호사를 붙잡아 두고선 공안부장이 애가 타서 영장청구서를 들고 부장판사들의 집을 전전했다. 다른 부장판사들이 그걸 떠안을 리 없었다. "당직부장이 하게 돼 있는 일을 왜 나에게 가져오냐"며 모두 거부했다. 수석부장판사에게 달려갔지만 그도 마찬가지였다. 급기야 법원장한테까지 갔지만 소용없었다.

결국 노 변호사는 다음 날 새벽에 석방됐다. 경찰은 노 변호사를 계속 붙잡아 둘 수 없자, 그날 밤늦게 귀가시켰고, 경찰관들이 집에까지 따라와서 지키다가 영장 발부 가능성이 없어지자 새벽에 철수했다.

그 사건으로 노 변호사는 단숨에 전국적으로 유명해졌다. '하룻밤 새 네 번의 영장기각' 식으로 언론마다 대대적으로 보도했다. 대한민국 법

치주의의 현주소를 보여 주는 일이었고, 동시에 당시 시국에 대한 부산 지역의 치열한 저항을 상징적으로 보여 주는 사건이었다.

노 변호사 등 변호사 3인에 대한 경찰의 불법구금은 그냥 넘어갈 일이 아니었다. 부산지방변호사회가 형사고소를 하기로 했다. 그러나 유야무야되고 말았다. 영장은 기각됐지만 검찰이 노 변호사를 불구속 기소할 수도 있는 상황이었다. 그래서 불구속 기소도 하지 않으면, 변호사회도 더 추궁하지 않는 것으로 암묵적 합의가 이뤄졌다. 하지만 나중에 노 변호사가 대우조선 사건으로 구속됐을 때, 검찰은 이 사건을 추가로 기소하고 말았다.

시국은 바야흐로 위대한 '6월항쟁'을 향해 치닫고 있었다. 전국에 민주화의 바람이 불었다. 부산은 더 특별했다. 1987년 초부터 달아오르기 시작한 민주화 열기는 부산에서 특히 뜨거웠다. 4·13호헌조치*가 발표되고 격렬한 저항이 시작됐다. 처음에는 다양한 지식인 사회가 움직이기 시작했다. 시국선언이 봇물처럼 발표됐다. 대학교수들로부터 시작된 시국선언이 다른 지식인그룹으로 퍼져나갔다. 변호사, 치과의사, 약사들의 시국선언이 부산에서 먼저 시작된 것으로 기억된다. 노 변호사와 나는 부산변호사 24명의 서명을 받아 호헌조치 철폐와 직선제 개헌을 요구하는 '부산변호사 시국선언'을 발표했다. 부산변호사 사회에서는 전무후무한 일이었다.

도심 곳곳에서 가두시위가 빈번하게 열렸다. 시민들의 반응은 매우 호의적이었다. 시위대가 구호를 외치며 행진하면 길가의 시민들이 박수로 격려했다. 상인들은 시위가 장사에 방해되는데도, 시위대가 구호를 외치

면 숨겨 줬다. 경찰이 시위대를 연행하려는 것을 행인들과 상인들이 나서서 나무라며 막아 주기도 했다. 빵이나 음료수를 나눠 주는 사람들도 많았고, 유인물을 나눠 주면 즉석에서 돈을 모아 경비로 쓰라고 건네주는 일도 있었다.

5월, '부민협'을 근간으로 '부산 국본'이 결성됐다. '국본'은 '민주헌법쟁취국민운동본부'의 약칭이다. 건국 이래 최대 규모의 민주화 운동 조직으로 꼽힐 만큼 모든 민주화 운동 단체에 야당까지 가세한 매머드 규모였다. 부산도 마찬가지였다.

'부산 국본'은 서울의 '국본' 발족에 앞서 전국에서 제일 먼저 결성됐다. 노변호사는 '부산 국본'의 상임집행위원장을 맡았다. 상임집행위원장은 단체의 울타리 역할을 해 주고 재정지원을 하는, 인권 변호사들이 그때까지 해 왔던 행동범주를 벗어나서, 가두에서 집회와 시위를 이끄는 역할까지 해야 하는 직책이었다. 원래 변호사들에게 요구하는 역할이 아니었는데 노 변호사는 자청하다시피 맡았다. 나는 상임집행위원을 맡았다.

6월, 부산에서는 '부산 국본'의 진두지휘 아래 매일 가두시위가 벌어졌다. 전국 어느 지역보다 시위 인원이 많았고, 치열했다. 매일 밤늦게까지 도심시위가 이어졌다. 시위가 끝날 때까지 시위대를 따라다니거나 여기저기의 시위 상황을 살펴본 다음, 중부교회에 모여 그날의 전체 상황을 점검하고 다음 날의 계획을 세운 후 귀가하곤 했다. 갈수록 규모가 커지고 치열해지는 시위 상황과 시민들의 호응을 보면서 군부 독재 정권이 무너지고 있음을 느낄 수 있었다.

갈수록 규모가 커지고 치열해지는 시위 상황과
시민들의 호응을 보면서
군부 독재 정권이 무너지고 있음을 느낄 수 있었다.

그런데 서울에선 명동성당 농성*을 해산하면서 항쟁이 소강상태에 접어들었다는 소식이 들려왔다. 서울과 다른 지역의 시위 인원이 뚝 줄어들었다. 그냥 두면 또 그렇게 넘어갈 형국이었다.

그러나 부산 분위기는 달랐다. 오히려 달아오르고 있었다. 노 변호사를 비롯한 '부산 국본' 지휘부는 서울에서 명동성당이 해 왔던 항쟁의 구심 역할을 부산이 이어가기로 결의했다. 즉시 정의구현사제단 신부님들의 협조를 얻어 부산가톨릭센터 농성을 시작했다. 이후 6월항쟁이 끝날 때까지 부산가톨릭센터가 명동성당이 했던 항쟁의 구심 역할을 해냈다.

부산 시민들도 더 많이 참여했다. 시위가 벌어지면 서면에서 부산시청과 KBS방송국으로 진출하는 길목인 부산진역 부근까지 간선도로를 시위대가 차지해 '해방구'처럼 되곤 했다. 부산이 버티면서 시위 상황이 오히려 거세지자 가라앉았던 서울 등 다른 지역의 분위기도 되살아났다. 그걸 보면서 다들 뿌듯해 했다.

6월 20일쯤이었을까. 부산에 위수령이 발동되고 군이 투입된다는 소문이 파다했다. 그런데 오히려 그 소문이 우리에게 더 힘을 줬다. 독재 정권이 코너에 몰렸고, 부산이 그 운명을 움켜쥐고 있다는 자신감을 갖게 했다. '여기서 굴하지 말고 이 고비만 버텨내면 이길 수 있다.' 노 변호사와 나는 그런 얘기들을 나눴다. 나중에 보니, 그때 부산 지역의 위수령 발동과 군 투입이 논의됐던 것은 사실이었다. 병력 출동 준비까지 마친 상태에서 내부 반대로 실행하지 못했다.

그래서 나온 것이 6·29선언*이었다. 군부 독재 정권의 항복 선언이었다. 물론 '6·29선언으로 끝내선 안 된다. 기만책이다. 끝장을 내야 한다'

는 의견도 적지 않았다. 그러나 직선제 개헌이 쟁취된 마당에 더 이상 투쟁을 이어나가는 것은 어려운 일이었다. 어쨌든 직선제 개헌 이후의 대통령 선거에서 '양김 분열'*로 민주진영이 승리하지 못했지만, 그것은 시민들의 책임이 아니었다.

6월항쟁은 시민들의 힘으로 군부 독재 정권을 무너뜨린 위대한 시민 민주항쟁이었다.

나는 6월항쟁이야말로 우리나라 민주화 운동사에서 가장 높이 평가받아야 할 운동이라고 생각한다. 4·19나 광주항쟁은 다분히 우발적이거나 자연발생적이었던 측면이 있다. 반면 6월항쟁은 명확한 목표를 설정한 '국본'이란 연대투쟁기구가 결성되고, 그 지휘 아래 직선제 개헌의 목표를 쟁취할 때까지 시종일관 계획적이고 조직적으로 운동을 전개했기 때문이다. 우리 민주화 운동사에서 유일한 사례가 아닐까 싶다.

또 6월항쟁은 전국적으로 전개된 민주화 운동이었지만, 나는 그 운동의 중심을 부산으로 평가해야 마땅하다고 생각한다. 부산에서 제일 먼저 국본을 결성했고, 기간 내내 시위를 가장 치열하게 전개해 타 지역 시위를 촉발시키는 역할을 했다. 보다 결정적으로는 명동성당 농성이 해산돼 서울 등 타 지역의 시위가 급격히 위축됐을 때 부산에서 가톨릭센터 농성과 함께 더 많은 시민들이 더욱 치열하게 시위를 전개함으로써 항쟁의 불꽃을 되살렸다. 그리고 그것이 결국 항쟁을 성공으로 이끈 원동력이 됐기 때문이다.

그런 점에서 나는 6월항쟁의 역사를 정리하는 데 있어 부산의 역할이 제대로 평가받지 못하고 서울 지역 중심으로 서술되는 현실이 안타깝다.

서울 중심 사고의 산물이라고 하지 않을 수 없다.

부산 시민들의 책임도 없지 않다. 3당합당* 이후 부산 시민들 의식이 보수화되면서 6월항쟁에 대한 정당한 평가를 부산 시민 스스로가 소홀히 하게 됐기 때문이다.

3당합당 이전의 부산은, 부마항쟁으로 유신독재를 끝내고 6월항쟁으로 5공 독재를 끝냈듯이, 부산이 일어서면 역사를 바꾼다는 시민들의 자부심이 충만했다. 그런 높은 시민의식 속에서 전통 야도(野都)였던 부산이 3당합당으로 하루 아침에 여도(與都)로 바뀐 후, 오늘날까지 한나라당 일색에서 벗어나지 못하고 있는 것이 참으로 안타깝다.

한편 명동성당 농성 해산 후 타 지역의 항쟁 열기가 급속도로 가라앉았을 때 부산에서 더욱 치열한 시위가 전개됐던 것도 결코 우발적으로 이뤄진 일이 아니었다. 전국의 시위 상황과 흐름을 예의주시하던 '부산 국본'의 항쟁 지휘부는 그런 상황 전개에 위기감을 느꼈다. 그 흐름을 부산에서 반전시키고자, 가톨릭센터 농성을 결행하는 등 조직적으로 시위 강도를 높였던 것이다.

그런 의도가 적중해, 그대로 꺼질 듯 보였던 전국의 항쟁 열기가 되살아나는 것을 보면서 느꼈던 '그 일을 우리가 해냈구나'라는 자부심과 희열이 지금도 생생하다.

그때 '부산 국본'의 항쟁 지도부가 시민들과 함께 시위의 강도를 높일 수 있었던 배경이 있다. 다른 지역과 달리 변호사, 목사, 신부 등 지휘부가 직접 가두에 나서서 이끈 덕분이었다. 그렇지 않았다면 시위의 강도를 높이고 싶다고 마음대로 될 것인가? 그 중심에 노무현 변호사가 있었

다. 나도 그 곁에 있었던 것이 큰 보람이었다.

그런데도 나중에 정치인이 되었을 때, 노무현은 서울의 민주화 운동권으로부터 운동의 주류가 아닌 변방 출신으로 대접받았다. 역시 서울 중심 사고에 더해, 민주화 운동 진영 내부에도 만연해 있는 학벌주의와 엘리트주의의 소산이라고 생각한다. 내가 보기에, 적어도 5공 시기 동안 변호사 노무현만큼 자기를 버리고 치열하게 투쟁했던 이가 없었다.

* **백골(白骨)단** 1980~90년대 사복경찰관으로 구성된 다중범죄 진압임무 수행 경찰부대의 별칭. 시위하는 시민을 진압할 때 일반경찰과 구분되는 흰색 헬멧을 착용한 것 때문에 백골단이라 불림. 이들은 당시 독재시대 폭압의 상징이었으며, 시민들에게 공포감을 주는 공권력의 상징이었음

* **닭장차** 유리창에 쇠 철망을 덧씌운 경찰버스의 속칭

* **4·13호헌조치** 1987년 4월 13일 5공 독재자 전두환 대통령이 국민들의 민주화 요구를 거부하고, 일체의 개헌 논의를 중단시킨 조치. 그러나 독재 정권의 기대와는 반대로, 오히려 국민들의 민주화 열기에 기름을 붓는 역효과를 초래. 전국 각지에서 장기집권 음모를 비판하고, 개헌을 요구하는 시위가 발생. 이 와중에 박종철 군 고문치사 은폐사건이 밝혀지면서 6월항쟁을 촉발

* **명동성당 농성** 1987년 6월 10일 대규모 도심시위에서 경찰에 쫓긴 시위대가 명동성당으로 밀려가 고립된 채 벌인 농성. 이들의 농성이 서울의 6월항쟁을 지속시켰으나 5박 6일 만에 자진해산

* **6·29선언** 1987년 6월항쟁에 손을 든 전두환 독재가 국민들의 민주화와 직선제 개헌 요구를 받아들여 6월 29일 여당 대표 노태우를 통해 발표한 특별선언. 직선제 개헌, 군사 독재의 평화적 정권이양, 김대중 선생 사면복권과 시국 사범 석방 등이 골자

* **양김 분열** 양김(兩金)은 당시 야당의 두 지도자 김대중과 김영삼을 말하며, 국민들은 이들이 대선에서 후보단일화를 이뤄 민주세력이 승리하길 열망했으나 따로따로 출마하면서 결국 전두환의 후계자 노태우에게 정권을 빼앗긴 일

* **3당합당** 1990년 1월, 노태우 대통령이 총재인 집권여당 민정당이 두 야당(김영삼 총재의 통일민주당, 김종필 총재의 공화당)과 합당해 민자당을 출범시킨 사건. 노태우 정권은 여소야대 정국을 타개하기 위해 내각제 개헌 밀약을 조건으로 3당합당을 이끌어내 거대여당을 탄생시킴. 민주 진영 분열을 초래했을 뿐 아니라 지역감정을 부추겨 지역주의 정치와 보스정치를 초래. 군사정권과의 야합이라는 측면에서 강력한 반발이 이어짐

노동자대투쟁과 노 변호사의 구속

6월항쟁 승리의 기분을 만끽할 새도 없이 7~8월 노동자대투쟁이 시작됐다. 숨 돌릴 틈이 없었다. 투쟁의 결과는 많은 노동자들의 구속과 해고로 이어졌다. 그다음부터는 모두 내 몫이었다. 사업장이 밀집해 있는 부산·경남 지역에서 노동변호사라고 해 봐야 여전히 노 변호사와 나밖에 없었다. 더구나 노 변호사는 6월항쟁 이후 사실상 변호사 업무를 손놓고, 거리로 사업장으로 땀 흘리며 현장을 누볐다. 그러다 결국 구속에 이른다. 바로 대우조선 사건이다.

대우조선 노동자들이 거리 시위를 하던 중 이석규 씨가 최루탄에 맞아 숨진 비극적 사고였다. 서울에서 이상수 변호사, 부산에서 노 변호사가 현지에 가서 그들을 돕다가 '3자 개입'*과 '장례식 방해' 혐의로 걸렸다. '3자 개입'은 당시 흔히 악용되던 악법이었으니 그렇다 쳐도, 장례식 방해는 어이없는 법의 올가미였다.

고인과 가까운 친척 중 한 사람이 회사와 보상금에 합의한 후 조용히 가족장으로 넘어가려는 것을 노조와 대책위가 옥신각신하는 상황에서,

일을 돕던 변호사 두 명을 '장례식 방해' 혐의로 걸었다. 배경이 뻔히 보이는 일이었다. 아마 대한민국 역사상 장례식 방해라는 죄명은 처음이었을 것이다. 한참 후에 민주당 백원우 의원이 노 대통령 영결식에서 같은 혐의로 기소됐다. 내가 아는 한, 단 두 건의 '장례식 방해' 사건. 나는 그중 하나는 직접 변론을 맡고 다른 하나는 증인을 섰으니, 이 역시 기막힌 인연이다.

부산변호사회는 '노 변호사 구속'이라는 충격적인 소식을 접하자 진상조사를 벌였다. 나는 진상조사소위 위원장을 맡았다. 거제 현지에 가서 현장 상황을 살펴보고, 노조 관계자와 대책위 관계자 등 많은 사람을 만나 증언을 들었다. 이석규 씨의 사망 경위, 장례, 두 분 변호사들의 역할에 대해 상세히 파악했다. 이어 공동변호인단을 꾸렸다.

노 변호사 변호인 수는 무려 99명이었다. 당시로서는 사상 최대 규모 변호인단이었다. 그중 부산 변호사들이 91명이었다. 당시 부산변호사회에 등록된 변호사 수가 120명가량이었다. 등록만 해 놓고 활동하지 않는 분들을 제외하면, 실제 활동하는 변호사들은 거의 빠짐없이 참여했다. 내가 일일이 찾아다니며 선임계*를 받았는데, 모두 흔쾌히 동의해 줘 힘들지 않았다. 더 고마운 것은 구속적부심사를 하는데, 대부분 직접 법정에 나왔다. 변호인석에 그 많은 좌석이 있을 리 없었다. 방청석까지 변호인들로 가득 찰 정도였다. 재판장이 변호인의 출석 여부를 확인하는데, 방청석에서 끊임없이 '예' 하며 손을 들었다. 변론을 입으로 하지 않더라도 그 자체로 말 없는 변론이 됐다. 결국 구속 23일 만에 구속적부심*에서 석방될 수 있었다.

그러나 검찰은 1987년 11월 끝내 노 변호사를 불구속 기소했고, 그와 동시에 노 변호사는 변호사 업무정지명령을 받았다. 업무정지명령은 노 변호사가 국회의원에 당선된 이후인 이듬해 6월에야 해제됐다.

노 변호사에 대한 본 재판은 나 혼자 감당했다. 불구속 상태에서 재판받는 것이어서 굳이 다른 공동변호인들에게 폐를 끼칠 필요도 없었다. 내가 법원에 낸 변론요지서가 한승헌 변호사가 낸 「한승헌 변호사 변론사건 실록」에 수록돼 있다. 한 변호사도 공동변호인 중 한 분이었기 때문이다.

법원은 1988년 2월 노 변호사에게 벌금 100만 원을 선고했다. 사실상 무죄판결이나 다를 바 없었다. 그 판결문도 「한승헌 변호사 변론사건 실록」에 담겨 있다. 판결문에 적혀 있는 99명의 변호인들에게 제대로 고맙다는 인사도 못 했다. 벌금 100만 원조차 부당해서 항소했으나 노 변호사가 국회의원이 돼 재판 참석이 어려워서 나중에 항소를 취하하고 말았다.

* **3자 개입** 1980년 쿠데타로 권력을 잡은 전두환 신군부가 노동법을 개정하면서 노사관계를 해당 기업의 노사 당국자에 국한시킬 목적으로 신설한 '제3자 개입금지 조항'을 말함. 법을 모르거나 힘이 약해 자신의 권리를 제대로 주장하지 못하는 노동자들에게 제3자가 당사자들의 권리를 되찾아 주기 위해 취하는 지원을 차단할 목적. 노동조합을 탄압하는 중요한 근거로 이용됨

* **선임계** 사건 의뢰인의 소송 대리인으로 특정 변호사가 선임됐다고 법원에 내는 서류. 선임계가 제출되지 않으면 소송수행을 할 수 없음

* **구속적부심** 구속된 피의자에 대해 법원이 구속의 적법성과 필요성을 심사하여 그 타당성이 없으면 피의자를 석방하는 제도

노 변호사를 국회로 보내다

1988년 4월, 제13대 총선에서 노 변호사는 국회의원에 당선됐다. 그 해 초 통일민주당 김영삼 총재에게서 영입 제안이 왔다. 대선에서 패배한 '양김'이 재야인사를 다투어 영입하던 때였다.

또 한 사람의 영입대상인 김광일 변호사는 본인이 일찌감치 결심을 했다. 노 변호사는 스스로 결정하지 않고, 6월항쟁을 함께했던 부산 지역 민주화 운동권에서 먼저 논의해 달라고 했다. 반대 의견도 많았다. 부산 지역에서는 전통적으로 민주화 운동이나 시민운동에서 정치권으로 진출하는 것에 대해 거부감이 많은 편이다.

좌절된 6월항쟁의 성공을, 정치를 통해 이룰 수 있도록 노력해야 한다는 찬성 의견도 많았다. 나는 찬성했다. 본인이 하고 싶어 한다고 느꼈고, 또 출마하면 당선될 것이라고 판단했기 때문이다. 노 변호사는 개인적 야심은 없었다. 단지 국회의원이 되면 노동자들을 더 잘 도울 수 있을 것이라는 생각을 가지고 있었다. 당시 변호사 업무정지 중이었던 것도 그렇게 생각하는 데 영향을 미쳤을 것이다. 결국 노 변호사의 정치

진출을 대체로 찬성하는 쪽으로 논의가 정리됐다. 본인도 그렇게 결단을 내렸다.

가는 분이나 보내는 사람들이나 개인적 입신을 위해서가 아니라 부산 민주화 운동권을 대표해 파견돼 간다는 인식이 있었다. 그래서 민주화 운동 진영이 선거에 적극 결합했고, 선거 운동도 운동권 방식으로 마치 민주화 운동을 하듯이 했다.

우선 지역구의 선택부터 그랬다. 노 변호사가 출마하기로 했을 때 당연히 오랫동안 거주해 온 부산 남구에서 출마하는 것으로 생각했다. 통일민주당도 그렇게 예상해 부산 남구를 비워 놓고 있었다. 그 당시 부산에서 아파트가 가장 많고 주민들 의식이 높은 곳이어서 선거를 치르기도 가장 좋은 곳이었다.

그런데 노 변호사는 그곳을 택하지 않고, 아무 연고도 없는 부산 동구에서 출마하겠다고 했다. 당시 신군부와 5공*의 핵심이었던 허삼수 씨가 그 지역의 민정당 후보였기 때문에 그와 맞붙어 5공을 심판하겠다는 것이다. 만류하는 사람들이 많았지만 그는 고집을 꺾지 않았다. 과연 노무현다웠다.

나는 그 선거를 직접 돕지 못했다. 부산의 민주화 운동 진영이 김광일, 노무현 두 변호사의 선거에 결합하여 돕기로 했는데, 운동권 대부분이 노 변호사를 돕고 싶어 했기 때문이다.

5공으로부터 6월항쟁에 이르는 기간까지 노 변호사가 부산 지역 민주화 운동의 중심 역할을 했기 때문에 어쩌면 당연한 일이었다. 다들 변호인 노무현의 도움을 받은 피고인들이었으므로 인지상정이기도 했다. 어

쩔 수 없이 그렇게 허용하되 노 변호사의 활동 전에 김 변호사와도 인연이 있었던 운동권 시니어그룹이 김 변호사를 돕기로 했다. 그 수가 적었기 때문에 나는 김 변호사의 선거를 총괄하는 역할을 맡았다.

나는 그 선거에서 사용한 노 변호사의 선거 포스터를 지금도 기억한다. 동구 달동네 판자촌을 배경으로 수수한 모습에 그러나 강한 눈빛으로 서 있는 흑백톤의 사진이었다. 운동권 사진가가 찍고 운동권 인쇄업자가 포스터 인쇄를 했다. 선거 구호가 바로 '사람 사는 세상'이었다. 포스터와 구호가 참 잘 어울렸다. 그런 강렬한 선거 포스터는 그전에도 없었고, 그 후 지금까지도 보지 못했다. 노 변호사도 한번 국회의원을 하고 난 후에는 그런 선거 포스터를 사용하지 못했다. 그때 썼던 '사람 사는 세상'을 그 후 줄곧, 심지어 대통령 재직 중에도, 그리고 퇴임 후에도 사인글로 썼다. 당신의 대통령 재임 중에도 '사람 사는 세상'이 여전히 멀었고, 따라서 그에 대한 염원이 여전히 유효하다고 생각했기 때문일 것이다.

노 변호사는 당선되자마자 국회 청문회* 스타가 돼 우리를 뿌듯하게 했다. 그러나 영광도 컸지만, 좌절과 고통도 많았다. 나는 그의 좌절과 고통을 볼 때마다 그의 정치 입문을 찬성했던 것을 후회했다. 그도 힘들 때는 '당신들이 정치로 내보냈으니 책임지라'고 농담처럼 말하곤 했다.

실제로 그에게 변호사로 돌아올 것을 권유한 적도 두어 번 있다. 국회의원에 낙선해 원외에 있을 때였다. 정치를 영 그만두라고 권유한 것은 아니다. 고생하며 원외 활동을 하느니 변호사로 돌아와서, 인권 변호사 활동과 지역 활동을 하면서 지역기반을 더 닦고, 선거 때가 돼 해볼 만하

선거 구호가 바로 '사람 사는 세상'이었다.
포스터와 구호가 참 잘 어울렸다.
그런 강렬한 선거 포스터는 그전에도 없었고,
그 후 지금까지도 보지 못했다.

면 그때 다시 선거에 나서면 되지 않느냐는 논리였다. 그러나 정치에 한 번 발을 담근 후에는 빠져나오지 못했다.

정치를 그만둘 기회가 한 번 있긴 했다. 종로를 버리고 부산 강서에서 출마해 낙선했을 때였다. 그때 그는 내게, 이번에 낙선하면 정치를 그만두겠다고 말했다. 그런데 낙선하자 오히려 '원칙의 정치인, 바보 노무현'으로 국민들에게 감동을 주는 이변이 일어났다. 그 힘으로 재기했고, 끝내 대통령이 됐다. 그러나 비운의 일을 겪고 나니, 역시 처음부터 정치세계로 들어가는 것을 말렸어야 했다는 회한이 남는다.

* **신(新)군부와 5공(共)** 신군부는 박정희 대통령 사후 군사 쿠데타를 일으켜 군부를 장악하고 정권을 탈취한 군부세력. 전두환, 노태우, 정호용 등 육사 11기, 12기 중심의 군 사조직인 하나회가 중심이 됨. 이들이 최규하 대통령을 끌어내리고 간접선거로 전두환을 대통령으로 만들어 수립한 정권이 5공화국 정권. 훗날 군사 쿠데타 및 광주항쟁 살인 진압으로 내란죄 등을 선고받음

* **국회 청문회** 1988년 11월 제5공화국 비리조사를 위한 국회 국정감사권 발동으로 개최된 청문회. 제5공화국의 비리와 정경유착 실상을 파헤치기 위한 일해재단 청문회, 12·12사태의 불법성과 광주민주화 운동의 발포명령자 및 진상파악을 위한 광주민주화 운동 청문회, 언론통폐합 및 언론인 강제해직 등 정부 언론장악의 진상파악을 위한 청문회 등이 열림. 청문위원이었던 노무현 의원이 예리한 질의와 폐부를 찌르는 질타로 일약 스타로 부상한 계기

혼자 남다

노 변호사가 떠난 후 혼자 남게 됐다. 노 변호사와 함께 해 오던 일들을 혼자 감당해야 했다. 그전에는 늘 노 변호사가 책임지는 일을 했고 나는 도우면 됐는데, 이제는 내가 책임지는 일도 맡아야 했다. 사무실을 꾸려 가는 것은 문제없었다. 이미 오래전부터 노 변호사가 일반 사건에서 손을 뗐고, 나중에는 업무정지까지 당해 혼자서 사무실을 꾸려 왔기 때문이다.

노태우 정부 아래서도 시국 사건과 노동 사건은 여전히 많았다. 부산·경남 지역의 '센터' 같은 역할도 변함없었다. 인권 변호사라는 소리를 듣다 보면 시국 사건과는 무관한, 그냥 딱한 사람들의 사건들도 찾아오기 마련이다. 집단 민원성 사건도 맡게 된다. 혼자서 감당할 수 없을 만큼 일이 많았다. 늘 일보따리를 집에 가져가서 새벽까지 재판준비를 하거나 변론서면을 쓰곤 했다. 아이들은 변호사를 3D업종처럼 생각했다. 그래도 내가 마땅히 해야 할 몫으로 받아들이면서 기꺼이 일을 맡았다. 내가 잘할 수 있는 일로 사람들을 도울 수 있다는 게 늘 행복했다.

일이 많아 힘들었지만 내 삶에서 가장 안정된 시기였다. 최선은 아닐지라도 나의 개인적인 삶과 세상을 향한 나의 의무감이 나름대로 균형을 잘 맞추고 있다는 느낌으로 지낼 수 있었던 시기였다.

노 변호사가 나에게 했듯이 나도 사법연수원을 수료한 변호사들을 한 명, 한 명 받아들여 수를 늘려 나갔다. 돈을 잘 버는 사무실이 아니었는데도 우리 사무실이 하고 있는 역할을 함께하고 싶어서 찾아온 변호사들이었다.

우리 사무실이 부산·경남 지역의 노동 사건을 총괄하다시피하고 있는 것을 알고 노동변호사가 되고 싶다는 일념으로 찾아온 변호사도 있었다. 그리고 1995년 변호사 수가 5명이 되고 요건이 됐을 때, 함께 법무법인을 설립했다. 지금도 내가 대표변호사로 있는 〈법무법인 부산〉이다. 노 변호사도 서울로 갔다가 부산으로 돌아오면서 소속변호사가 됐다. 그리고 대통령이 되면서 변호사를 휴업했다. 요즘도 법무법인 부산의 변호사들은 '민주사회를 위한 변호사 모임'은 물론이고, 각자 성향에 따라 인권단체, 시민운동단체, 노동운동단체 등에서 직책을 맡아 활동하고 있다.

노 변호사가 정치로 들어간 후 부산 지역의 민주화 운동 진영도 점차 시민운동, 환경운동, 노동운동, 민중운동 등으로 진화하면서 분화해 갔다. 시민운동과 환경운동은 그중 사람들도 많이 참여하고 여건도 좋았기 때문에, 나는 주로 노동운동 또는 노동조합활동을 지원하는 단체 쪽에 집중했다.

87년 하반기에 만들어져 노 변호사도 함께 참여했다가 국회의원이 되면서 손을 뗀 '부산노동문제연구소', 89년 4월 부산 지역의 노동상담소

들을 모두 모아 결성한 '부산노동단체협의회', 94년 4월 출범한 '노동자를 위한 연대' 같은 단체들이다.

'노동자를 위한 연대'는 변호사들과 치과, 한의사, 약사, 의료계 인사들이 모여 노동운동과 노동조합을 지원하기 위해 만들었는데, 지금까지 사단법인으로 존속하고 있다. 이들 단체를 통해 내가 역점을 둔 것은, 노동조합의 설립과 노동조합의 일상 활동에 대한 지원이었다.

6월항쟁 이후 노동운동의 대분출기를 겪으면서 여기저기서 노동조합 설립이 모색됐다. 그러나 그때만 해도 노동자들은 노동조합 설립을 어떻게 하는지, 규약을 어떻게 만들어야 하는지, 노조가 설립되면 단체협약을 어떻게 어떤 내용으로 체결해야 하는지 체계적으로 상담하고 지원받을 곳이 별로 없었다. '부산노동문제연구소'가 그 역할을 했다. 노조설립에 필요한 서류까지 모두 만들어 주면서 설립을 도운 노동조합이 200여 개에 달한다.

'부산노동단체협의회'와 '노동자를 위한 연대'는 회원 노조제로 운영했다. 회원 노조가 되면 변호사들이 노조 고문변호사가 되고, 의료인들은 산업안전·보건상담과 함께 노조원들에게 진료비 혜택을 주는 서비스를 제공했다.

'노동자를 위한 연대'는, 많을 때 회원 노조가 130여 개에 달했다. 상급단체가 한국노총이냐 민주노총이냐를 따지지 않았다. 그 시기에 양대 노총 소속 노조들이 함께한 노동단체는 부산 지역에서 '노동자를 위한 연대'밖에 없었다. 나는 회원 노조 조합원들에게 정기적으로 순회 법률상담을 해 주기도 하고, 노조 간부 교육을 해 주기도 했다. 요즘은 양대 노

총 안에 법률지원 기구를 두고 상근 변호사까지 있어, 외부지원 없이 스스로 대부분의 문제를 해결하고 있다. 말하자면 자생력이 생긴 것이다. 금석지감(今昔之感)을 갖게 된다.

'노동자를 위한 연대'는

변호사들과 치과, 한의사, 약사, 의료계 인사들이 모여

노동운동과 노동조합을 지원하기 위해 만들었는데,

지금까지 사단법인으로 존속하고 있다.

이들 단체를 통해 내가 역점을 둔 것은,

노동조합의 설립과

노동조합의 일상 활동에 대한 지원이었다.

동의대 사건과 용산참사

셀 수 없이 많은 사건을 맡았고, 그 가운데 잊히지 않는 사건들도 많다. 1989년 발생한 동의대 사건이 대표적이다. 여러 명의 경찰관이 목숨을 잃은 가슴 아픈 사건이었다.

이 사건은 아직도 논란 중에 있다. 우선 사건의 진상을 둘러싼 논란이 계속되고 있다. 민주화보상심의위원회가 이 사건을 '민주화 운동 관련사건'으로 인정하고 민주화보상을 한 것에 대한 논란도 이명박 정부 들어 커졌다. 심지어 민주화보상심의위원회의 결정을 뒤집을 수 있는 재심절차를 특별법으로 만들자는 상식 이하의 논란도 있었다.

그날 동의대 도서관에서 농성했던 학생들이나 그 농성 진압에 투입된 경찰 병력이나 똑같은 이 땅의 젊은이들이었다. 서 있는 자리가 달랐을 뿐이다. 투입된 경찰 중에는 동의대 재학 중 입대해 전투경찰이 된 사람도 있었다. 그도 화재 현장에 있었으나 도서관 내부구조를 잘 알고 있었기 때문에 앞을 분간할 수 없는 상황 속에서도 무사히 그곳을 빠져나올 수 있었다.

그렇게 보면, 진압에 투입돼 목숨을 잃은 경찰관이나 그날 농성 중에 사건이 발생해 구속되고 형을 살았던 학생들이나 모두 시대의 피해자들이었다. 가해자가 있다면 그런 상황을 만든 독재 정권이었다. 그런데도 아직 그 경찰관들을 학생들에 의한 피해자로 부각시키면서 증오와 적대를 키우려는 시도가 계속되고 있다.

당시 언론을 통해 알려진 내용이나 수사발표는 진실과 크게 달랐다. 농성 학생들이 사전에 시너를 질펀하게 뿌려 놓고 기다리고 있다가, 진압경찰이 진입하자 시너 위에 화염병을 던져 순식간에 불을 질렀고, 이 때문에 경찰관들은 미처 피할 겨를도 없이 불에 타 죽게 된 것처럼 알려졌다. 지금도 계속되고 있는 논란들은 그런 오해에 기인한 측면이 크다. 그러나 재판 결과 확인된 사실은 그것이 아니다.

바닥에 석유는 있었지만 시너는 전혀 없었다. 그리고 화염병이 던져진 곳은 석유가 있는 곳과는 떨어진 곳이었다. 그래서 스스로 꺼져 갔기 때문에 경찰은 그 화염병 불꽃을 내버려 두고 내부수색에 몰두했다. 나중에 화염병 불꽃이 점점 꺼져 가다가 다 꺼지는 듯 보이는 순간에 갑자기 폭발성 연소가 발생했다.

재판에서 그 폭발성 연소의 원인으로 추정된 것은 유증기*다. 화염병 불꽃이 꺼져 가는 사이에 근처 바닥에 있던 석유에서 유증기가 발생했고, 그 유증기가 연소 농도에 달했을 때 막 꺼지려던 마지막 불씨에 닿아 순식간에 폭발성 연소를 일으켰다는 것이다.

바닥에 석유가 있었던 이유는 규명되지 않았다. 최루탄 발사로 유리창이 깨지고, 다수의 경찰이 진입해 수색을 하고 다니는 열린 공간에서, 그

정도의 시간 사이에 과연 유증기가 연소 농도에 이를 만큼 발생할 수 있을까 라는 의문도 명확하게 규명되지 못했다. 어쨌든 재판에 의해 확인된 사실만으로도, 학생들이 대형화재나 경찰관들의 사상을 의도한 것은 아니었다는 것이 밝혀졌다.

반면 재판 과정에서 명확히 확인된 것은 경찰의 작전책임이었다. 사망한 7명의 경찰관 중 4명은 소사(燒死)가 아니고 추락사였다. 사고 장소는 7층이었다. 고층건물 진압작전은 투신이나 추락에 대비해 반드시 건물 주변에 매트리스와 안전그물을 설치하게 돼 있다. 특히 창문이 있는 쪽으론 더더욱 그렇다.

그날 경찰은 매트리스와 안전그물을 가져가긴 했다. 하지만 건물입구에 쌓아만 두고, 설치는 하지 않은 채 작전을 개시했다. 학생들이 있던 7층은 창문이 건물 북쪽 면으로 나 있었는데도, 그쪽 면에 안전장치를 설치하지 않은 것은 물론 경계 병력조차 배치하지 않았다.

7층에서 화재가 발생하자 경찰관들은 불길을 피해 창틀에 매달렸다. 건물 아래에선 꽤 시간이 지나도록 그 사실을 알지 못했다. 옥상으로 피신해 있던 학생들이 그 상황을 보고 아래에 있는 경찰들에게 "여기 사람들이 매달려 있다"고 소리쳤다.

매트리스를 가져오라고 "매트리스, 매트리스" 하며 소리를 질렀다. 그래도 아래에 있던 경찰들은 처음에 영문을 몰랐다. 자기들에게 욕하는 줄 알고 욕설로 맞대응하기도 했다. 뒤늦게 상황을 알아채고 부랴부랴 안전그물과 매트리스를 가져오기 시작했다. 옥상에 있던 학생들은 창틀에 매달린 경찰관들에게 매트리스가 오고 있으니 조금만 더 버티라고 격

려했다.

그러나 힘이 빠진 경찰관들은 한 명씩 떨어지기 시작했다. 첫 번째 경찰관은 안전그물과 매트리스가 오기 전에 맨땅에 떨어졌다. 몇 분씩 시간 간격을 두고 떨어졌는데 두 번째, 세 번째 경찰관도 마찬가지였다. 네 번째 경찰관은 안전그물이 설치된 후 그 위에 떨어지는 데 성공했으나, 그물 밑에 매트리스가 없어 아무 소용이 없었다. 그런 식으로 매트리스와 안전그물이 미처 설치되지 못하는 사이, 네 명의 아까운 경찰관이 차례로 꽃다운 목숨을 잃었다.

안전그물과 매트리스가 모두 설치된 이후 추락한 경찰관은 목숨을 건졌다. 그때 창틀에 학생도 한 명 있었다. 그 학생이 있던 쪽은 다행히 불길이 덜했다. 그는 창틀에 매달리지 않고 걸터앉아 버틸 수 있었다. 그도 매달린 경찰관들에게 힘내라고, 조금만 더 버티라고 격려했다. 그는 안전그물과 매트리스가 모두 설치된 후 맨 마지막으로 떨어졌다. 먼저 안경을 떨어뜨려 위치를 가늠한 후 안전그물과 매트리스 위로 무사히 뛰어내렸다.

경찰이 지극히 당연한 기본적 안전조치만 취했어도 네 사람은 죽지 않을 수 있었다.

작전상의 안전소홀 책임은 또 있었다. 농성 학생들이 7층에서 화염병을 제작해 다량의 화염병과 유류를 보유하고 있다는 사실은 학교당국도, 경찰도 모두 알고 있었다. 따라서 진압작전을 하면서 그곳에서 화재가 발생할 가능성에 철저히 대비하는 것은 너무나 당연한 일이었다. 그날 경찰도 그 점을 염두에 두고, 병력의 역할을 3개조로 나눴다.

즉 개파조(開破組)가 해머 등으로 문을 열면, 소화조가 먼저 들어가서 불부터 끄고, 이어서 수색조가 들어가는 순서였다. 그런데 1층에서부터 위로 올라가는 사이에 소화조는 뒤처지고, 수색조가 먼저 올라가게 됐다. 정작 7층에 진입할 때엔 소화조가 아직 도착하지 않은 가운데 수색조가 먼저 진입하게 됐다. 그들은 화염병 잔불을 끄지 않고 내버려 둔 채 수색에 몰두했다. 그러는 사이 유증기가 발생했다. 게다가 수색조가 수색하는 동안 소화조 1명이 뒤늦게 도착했지만, 휴대용 소화기를 분사했을 때 이미 소화분말을 다 소비하고 남아 있지 않아 소화조로서의 역할을 할 수 없었다.

어쨌든 경찰이 지극히 기본적인 안전수칙에 따라 화염병 불꽃을 끈 다음 수색에 들어가기만 했으면 화재 발생도, 인명 피해도 생기지 않을 수 있었다. 나는 학생들의 책임과 별도로, 작전상 안전조치 미흡에 대해 지휘관들이 문책을 받아야 마땅하다고 생각했다. 그러나 전경들이 무모한 작전에 항의하는 농성까지 했는데도 아무런 조치가 없었다. 그래서 재판이 끝난 후 지휘관들을 업무상과실치사상 혐의로 고발했다. 역시 무혐의 처리되고 유야무야되고 말았다.

그와 같은 경찰의 무반성이 최근의 용산참사를 낳았다. 용산참사 역시 고층 망루 안에 인화성 유류가 잔뜩 있음을 뻔히 알면서도 그에 대한 대비 없이 진압을 서두르다 경찰관까지 포함해 아까운 인명을 잃게 된 점이 동의대 사건과 똑같다.

경찰이 동의대 사건에서의 안전소홀 책임을 제대로 반성하고 교훈으로 삼기만 했어도 용산참사는 발생하지 않았을 것이다. 동의대 사건 당

시 내가 아는 경찰관들은 한결같이 고층 작전의 기본 수칙을 무시한 무모한 작전임을 인정했다. 경찰도 스스로 알고 있는 것이다. 그럼에도 불구하고 학생들의 책임을 희석시키는 결과가 될까 봐 문책 없이 넘어갔다. 용산참사도 마찬가지라고 생각한다. 참으로 개탄스런 풍토가 아닐 수 없다.

동의대 사건은 내가 변호사 하는 동안 맡은 형사사건 중에 제일 규모가 큰 사건이었다. 6공 치하의 단일 시국 사건으로 가장 큰 사건이기도 했다. 구속 피고인 수만 77명이었다.

공소사실이 방대한 데다 피고인 수가 워낙 많았다. 검찰은 8건으로 나눠 기소했고, 법원도 8건으로 나눠 재판했다. 나도 도저히 혼자 감당할 수 없었다. 민변 변호사들에게 부탁해 공동 변호인단을 꾸렸고 사건을 분담했다. 그래도 사건 전체, 피고인 전체를 총괄하는 사람이 필요했다. 내가 그 역할을 맡지 않을 수 없었다.

8건으로 나눠 재판했지만 나는 전 재판에 다 참여했다. 8건으로 나눠도 피고인이 많고 공소사실이 방대해서, 매 건마다 하루 종일 재판을 하다시피 했다. 재판 준비가 힘들기도 했지만, 재판하는 날이면 맡고 있는 다른 사건을 재판할 시간 여유가 없었다. 끝날 때까지 다른 사건 수임은 엄두도 못 냈다. 정말 고생을 많이 했다.

검찰은 화재의 원인이 된 화염병을 던진 학생에게 사형을 구형했다. 내가 변호사 하는 동안 처음 받아 보는 사형 구형이기도 했다. 그가 유증기에 의한 화재를 예상하고 화염병을 던진 것도 아니었다. 그 시기 학생들이 던졌던 수많은 화염병과 별 차이 없는 화염병이었으나, 예기치 않

게 발생한 화재와 결과 때문에 살인마로 비난받았다. 내가 구형을 받은 것도 아닌데 사형 구형을 듣는 순간 나도 모르게 눈물이 났다. 그 바람에 잠시 휴정한 후에 변론을 해야 했다. 다행히 피고인들은 모두 복역 중에 형집행 정지로 순차적으로 석방됐다. 그리고 국민의 정부 때인 2002년, 그중 46명이 '민주화보상심의위원회'에서 '민주화 운동 관련자'로 인정받았다.

이들이 '민주화 운동 관련자'로 인정됐다고 해서 순직 경찰관에게 모욕이 되는 것이 아니다. 경찰관은 경찰관대로 직무에 충실하다가 순직해 국가유공자가 된 것이다. 그럼에도 이들의 '민주화 운동 관련자' 인정이 순직 경찰관들을 모욕하는 것인 양 오도하면서, 증오를 부추기는 사람들이 안타깝다.

* **유증기(油蒸氣)** 기름이 증발 또는 승화하여 생긴 기체

조작간첩 사건

또 하나 잊을 수 없는 사건은 '신씨 일가 간첩단' 재심 청구 사건이다. 내가 이 사건을 처음 재심 청구한 것은 1994년 11월이었다. 그 무렵만 해도 조작간첩 사건에 대해 민주화 운동 진영에서도 감히 문제제기를 못했다. 아직도 걸핏하면 빨갱이로 매도되던 시절에 법원이 유죄 확정한 간첩사건을 조작이라고 주장하고 나선다는 것은 엄두를 낼 수 없는 일이었다. 조작의 냄새가 나는 사건도 못 본 척 외면했다.

그 금기를 깨뜨리고 나선 것은 천주교였다. 1993년 천주교인권위원회 등이 중심이 돼 '천주교 조작간첩 진상규명 대책위원회'가 만들어졌다. 많은 신부들이 참여했고, 일부 주교들까지 참여했다. 군부 독재 시절 공안통치를 위해 조작했던 간첩사건들에 대해 처음으로 사회적 문제제기를 한 것이다.

대책위의 성명서가 모든 성당과 신도들에게 배포됐다. 특별강론도 행해지고 모금도 이뤄졌다. 우리 인권 운동사에서 대단하게 평가받아야 할 일이다.

나는 그때 천주교인권위원회 인권위원이었다. 대책위가 기초조사를 거쳐 조작사건이라고 판단한 리스트에 부산 지역 관련 사건도 있었다. 인권위 측에서 부산 지역 관련 사건을 검토해 줄 것을 부탁했다.

그중 '신씨 일가 간첩단 사건'은, 판결문과 대책위가 조사한 자료만 훑어보아도 조작사건임이 분명했다. 조작이 너무 뚜렷해 재심을 청구해 보기로 했다. 그때만 해도 그런 사건에 대해 재심 청구가 받아들여진다는 것은 거의 불가능해 보이던 시기였다. 당연히 재심 청구 사례도 없었다. 그런 만큼 가장 뚜렷한 사건을 통해 재심 성공 사례를 만들어 내야, 다른 억울한 사람들도 길이 열릴 것이라고 생각했다.

먼저 그때까지 전주교도소에 수감 중이던 피고인을 접견해 진술을 듣고, 재심 청구에 동의를 받았다. 이어 일본으로 가서 피고인들에게 간첩 지령을 한 것으로 돼 있는 그의 형을 만나, 증언을 녹취하고 공증을 받아왔다. 그리고 증거자료를 수집했다.

그렇게 해서 조작간첩 사건 가운데 맨 처음으로 이 사건을 재심 청구했다. 법원이 용기만 가져 주면 재심 청구가 받아들여질 것으로 확신했다.

부산지방법원은 기대대로 재심 개시 결정을 내려 줬다. 사상 초유의 일이었다. 크게 보도됐다. 검찰이 항고했으나 고등법원에서도 유지가 됐다. 그런데 대법원이 검찰의 재항고를 받아들여 재심 개시 결정을 취소해 버렸다. 결국 1차에서 뜻을 이루지 못했다.

그렇다고 포기할 수 없는 일이었다. 재심 사유를 다르게 구성해 다시 재심 청구를 하기로 했다. 새로운 재심 사유를 확보하기 위해 국가를 상대로 손해배상 소송을 제기했다. 이 소송에서 과거 간첩사건 재판 때

간첩 행위를 목격했다고 증언했던 증인을 소환했다. 그는 고문에 못 이긴 위증이었다고 실토했다. 이를 근거로 2차 재심을 청구한 것이 1999년 7월이었다. 이번에도 부산지법은 재심 개시 결정을 내렸다. 그러나 부산고법이 검찰의 항고를 받아들여 재심 개시 결정을 취소했다.

3차 재심 청구는 '진실·화해를 위한 과거사 정리 위원회'(과거사위원회)의 진실 규명 결정을 기다려야 했다. 결국 내가 청와대에서 퇴임하고 다시 변호사로 복귀한 후인 2009년 2월 또다시 재심 결정을 받아냈다.

그리고 드디어 2009년 8월 무죄판결을 받았다. 법원은 무죄를 선고하면서 별도로 발표한 사과문에서 "국가 기관이 자행한 불법구금과 고문에 이은 유죄 인정으로 피고인들이 필설로 표현하기 어려울 정도의 고통을 받은 데 대해 만시지탄이지만 진심으로 사과한다"고 밝혔다.

간첩으로 유죄판결 받은 지 거의 30년 만이었고, 재심을 청구한 지 15년 만의 일이었다. 그 사이에 재심 청구를 함께 했던 피고인 중 한 명은 고령으로 사망했고, 사건 당시 40대였던 피고인들은 어느덧 70대 노인이 되었다. 또 한 명의 피고인은 이미 감옥에서 고문 후유증으로 옥사(獄死)해 딸이 아버지 대신 재심 청구를 했다. 무죄판결이 확정됨에 따라 신씨 일가는 국가로부터 형사 보상금 20여억 원과 손해배상금 37억5천만 원을 지급받았다. 그러나 이미 허망하게 지워져 버린 그들의 인생은 어찌할 것인가?

국가는 아직도 이들 조작간첩 피해자들에게 제대로 사과하지 않고 있다. 법원이 과거 재판의 잘못을 바로잡고 사과하긴 했다. 그러나 엄청난 고문과 불법구금으로 사건을 조작했던 경찰과 검찰은 아직 아무런 반성

이 없다. 당시 특진과 포상금 혜택을 받았던 고문경찰관들 대부분은 여전히 법정에서 고문 사실을 부인하고 정당한 수사였다고 강변했다. 과거 공권력의 위법이나 부당한 행사로 말미암은 피해에 대해 국가가 금전배상과 별도로 진심 어린 사과와 따뜻한 위로를 할 수 있어야만 제대로 된 국가가 될 수 있으리라 믿는다.

지역주의와의 싸움

서울로 올라간 노 변호사, 아니 노 의원은 금방 주목받는 정치인이 됐다. 전국적인 청문회 스타가 됐을 뿐 아니라 다른 의정활동도 초선으로서 독보적이었다. 그러나 정작 그를 정치지도자로 키운 것은 국회의원 선수(選數)가 아니라 낙선경력이었다. 3당합당을 반대한 이후 줄곧 대의를 좇아 실패와 좌절을 거듭한 경력이 그를 대선후보 반열에 올려줬다.

개인적 불이익도 마다 않는 원칙의 정치인. 국민들은 그를 높이 평가했지만, 현실 속에서는 참으로 고통스러운 일이었다.

원외 시절 사무실 경상비가 부족할 때면 때때로 연락이 와서 돈을 좀 빌려드린 것밖에는, 별 도움을 드리지 못했다. 그냥 그는 그가 가치 있다고 여기는 일을 해 나갔고, 나는 나대로 내가 보람 있다고 여기는 일을 해 나갔다.

그가 대선 출마 의지를 나에게 처음 밝힌 것은, 15대 대선 때 여당 경선에 불복하고 탈당해서 독자적으로 나온 이인제 후보의 출마를 보고 나

서였다. '그런 반칙을 용납해서는 안 된다'며 당신이 야당 후보로 나서겠다고 했다. 그때는 모두 반대했다.

나도 반대했다. 이르다고 봤다. 목표를 차기에 두고 해 보는 것을 생각할 수는 있었다. 그에게는 '청문회 스타'와 '원칙'의 좋은 이미지가 있었지만, '명패 던지기'와 '의원직 사퇴'로 인한 돌출 이미지가 있는 것도 사실이었다. 갑작스런 출마가 자칫 돌출적 행동으로 보일 수 있었다. 그는 주변사람들의 반대 의견을 받아들였다. 그러나 그때부터 그 뜻을 가슴속에 품고 착실히 준비해 나갔다. 기획팀을 두고 공부도 열심히 했다.

2000년 총선 때 부산으로 내려와서 출마할 때도 그런 뜻을 품고 있었다. 나는 그 이유 때문에 종로를 버리고 부산으로 내려오는 것을 반대했다. "대선까지 내다보면, 지금 부산으로 내려오는 것은 도움이 안 된다. 오히려 방해될 수도 있다. 부산 출신 YS*가 금방 대통령을 마친 마당에 가까운 시간 내에 부산 출신 대통령이 또 나올 수 있겠는가. 당선돼도 지역 맹주가 되기 십상이다. 종로에서 다시 당선돼 탈(脫)지역 하는 것이 대선에 유리하다. 그러면 오히려 영남 출신 이점을 살릴 수 있다. 박찬종 씨도 부산을 떠나 서울에서 국회의원 하면서 대선후보로 부상하지 않았는가" 이런 취지였다. 다시 낙선의 고통을 겪는 것을 보고 싶지 않은 심정도 작용했을 것이다.

그러나 고집을 꺾을 수 없었다. 지역주의를 직접 깨트려 보겠다는 의지가 워낙 강했다. 95년 부산시장 선거 때 주변사람들, 참모들까지도 무소속 출마를 권유했지만 그렇게 해서 당선되면 무슨 의미가 있냐며 끝까지 거부한 분이다.

그는 그가 가치 있다고 여기는 일을 해 나갔고,
나는 나대로 내가 보람 있다고 여기는 일을 해 나갔다.

실제로 그가 2000년 총선에서, 부산에서 당선됐다면 대선가도는 좀 더 미뤄졌을 것이라고 생각한다.

그러나 세상일의 조화를 누가 알겠는가? 그는 또 떨어졌고, 오히려 엄청난 지지와 성원이 답지했다. 이전에 받던 지지와는 성격이 좀 달랐다. 그를 국가지도자로 기대하는 지지였다. 단순한 지지를 넘어서서 그를 그 길로 끌어내려는 집단적인 지지였다.

드디어 2001년 9월 6일, 그는 부산에서 대선 출마를 공식 선언했다.

* **YS** 김영삼 전 대통령의 영문 이니셜을 딴 애칭

2002년의 감격

그 후 그는 대선 행보를 본격 시작했는데, 그 내용이 여느 정치인들과 달랐다. 주변의 참모들은 당연히 조직을 키우고 돈을 준비할 것을 권유했다. 그러나 그는 그 대신 각 분야별 전문가들로 학습팀을 꾸려 국정 운영에 필요한 학습을 열심히 했다.

외교·안보, 교육, 복지, 경제 등 분야별로 젊은 전문가들을 청해 브리핑을 듣고 토론했다. 아마 전체 일정의 절반 이상을 학습에 몰입했을 것이다. 그때 학습에 도움을 줬던 전문가들 중에 후일 참여정부에 발탁된 이들도 꽤 있다. 외교·안보 분야의 이종석 장관 같은 분이 대표적이다. 대선 때 그가 보여 준 발군의 토론 능력과 대통령 재임 중에 보여 준 탁월한 지적능력은 그 학습을 통해 이뤄졌다. 참으로 노무현다운 대선 준비였다.

민주당 후보 선출 국민경선 때 나는 부산과 울산의 국민경선을 도왔다. 당시 경선 선거인단은, 선거인으로 등록을 하면 그중에서 정해진 선거인만큼 추첨을 통해 선정하는 방식이다. 당에서 연락이 갈 때 투표에

시민들의 우레와 같은 박수 속에 연단에 오른 노 후보는 당당했다.

연설은 사람들의 마음을 휘어잡았다.

과거 국회의원이나 부산시장 선거에 출마했을 때의 연설과 격이 달랐다.

직접 참여할 의사가 확실한 선거인단을 최대한 많이 확보해 등록하는 것이 관건이다. 충성도 높은 사람을 많이 확보하는 게 중요하지, 과거 직능단체 위주로 명단이나 마구 넣어선 될 일이 아니었다. 실제 지지의사와 실제 투표의지를 가진 사람들을 확보하는 데 총력을 기울였다.

부산·경남에서 할 수 있는 방법을 총동원했다. 원래 우리가 가지고 있던 민주화 운동 인맥을 모두 활용했다. 특히 울산 쪽은 노동계가 강세여서 자신 있었다. 나와 노 의원이 오랫동안 해 왔던 노동운동의 인맥과 그에 대한 성원이 그대로 결과로 나타났다. 부산도 민주화 운동 진영 전체가 나섰다. 거기에 노 의원 모교인 부산상고 인맥은 물론 기존의 민주당 인맥이 다 호의적이었다. 선거인단 등록 경쟁에서 확실히 이겼다.

감동의 드라마는 다름 아닌 광주였다. 나중에 보니 광주나 다른 지역에서도 바닥의 많은 분들이 우리 못지않은 노력을 기울여 성공을 일궈냈다. 드디어 그가 민주당 대선 후보로 확정됐다. 하지만 시작이었다.

각 지방별로 선대본부가 출범할 때 나는 부산선대본부장을 맡게 됐다. 초기의 좋았던 지지율이 그대로 유지됐다면 내가 맡을 필요가 없었다. 노 후보도 그랬다면 굳이 나에게 부탁을 안 했을 것이다. 하지만 아주 어려운 상황이 됐다. 맡지 않을 수가 없었다.

후보가 되고 나서의 지방선거 참패, 지지율 하락, 민주당 국회의원들의 후보 흔들기, 또다시 지지율 하락, 당내에서의 후보교체론, 일부 탈당, 다시 지지율 하락……. 대선 과정에서 제일 힘든 시기였다.

부산에 있는 우리가 달리 도울 길이 없었다. 우리가 할 수 있는 것은, 후보를 흔들어 낙마시키려는 거대한 음모에 맞서 후보를 지켜내는 운동

밖에 없었다. 절박한 상황이었다. 대학교수들이나 다양한 지식인 그룹에 도움을 요청했다. 부산의 여러 영역별로 지지선언이 이어졌다. 전국적으로 마찬가지였다. 그 때문에 서울을 자주 오갔다. 노 후보는 당당하게 잘 헤쳐 나갔다. 흔들림이 없었다. 뚝심과 배짱으로 여러 난관에 정면으로 맞섰다.

분수령은 정몽준 씨와의 후보단일화였다. 나는 고민하는 노 후보에게 정몽준 후보와의 단일화가 반드시 필요하다는 의견을 말씀드렸다. 단일화 방식으로는 여론조사 방식을 받는 게 좋겠다는 생각도 말씀드렸다.

그 당시 여론조사 방식의 단일화는 큰 모험이었다. 노 후보는 여론조사에서 꽤 뒤지고 있는 상황이었다. 그래서 민주당이나 서울 쪽에선 여론조사 방식의 단일화에 걱정이 많았다. 그러나 불리한 방식을 담대하게 수용한 것이 결과적으로 사람들에게 호감을 불러일으켰다.

정작 노 후보의 고민은 다른 데 있었다. 여론조사 등 단일화 방식에 대한 결정 자체가 아니었다. 그는 '그렇게 해서 내가 이길 수 있는가, 안 되면 어떻게 하는가'를 고민하지 않았다. 만약 당신이 질 경우 정몽준 후보를 위해 마음에서 우러난 진정과 열심으로 선거 운동을 할 수 있겠는가를 고심했다.

정몽준 후보와는 정체성이 크게 달랐다. 자기 선거처럼 그를 위해 뛰어 준다는 결심은 쉬운 일이 아니었다. 그러나 단일화에 나서는 이상, 지는 경우 정 후보를 돕는 건 당연한 도리이고 의무라고 받아들였다. 그런 마음가짐이 없으면 아예 단일화에 나서지 말아야 한다고 생각했다. 만약

노 후보가 졌으면 실제로 정 후보를 위해 당신 선거처럼 열심히 뛰었을 것이다. 후보단일화에서 극적인 반전 드라마가 다시 연출됐다.

그러나 난관이 또 기다리고 있었다. 단일화 과정보다 더 어려운 난관이었다. 정몽준 씨가 '연합정부', 사실상 '권력의 반'을 내놓으라고 요구했다. 뿐만 아니라 그걸 명문화해 달라고 했다. 그냥 반이 아니라 내각의 어느 어느 자리를 나누자고 특정을 하자는 것이다. 수용하지 않으면 판을 깬다는 것이었다.

민주당 사람들은 대부분 그냥 그렇게 하자고 했다. 어차피 '정치적 약속'이니 나중에 상황에 따라 대처하면 된다는 논리로 노 후보를 설득했다. 설득 정도가 아니라 압박이었다. 하도 많은 사람들이 같은 얘기를 하니, 노 후보는 버티는 것을 대단히 힘들어했다. 내게 의견을 물었다.

나는 '원칙' 얘기를 했다. "우리가 쭉 살아오면서 여러 번 겪어 봤지만, 역시 어려울 때는 원칙에 입각해서 가는 것이 가장 정답이었다. 뒤돌아보면 늘 그것이 최선의 선택이었다. 그땐 힘들어도 나중에 보면 번번이 옳은 것으로 드러났다. 노 후보님의 생각이 옳다고 생각한다"고 말씀드렸다. 외로우셨던지 당신 생각을 지지하자 매우 기뻐했다.

선거는 막바지로 치닫고 있었다. 선거 이틀 전, 부산 서면 사거리엔 엄청나게 많은 시민들이 모였다. 인산인해였다. 마지막 부산 유세였다. 시민들의 우레와 같은 박수 속에 연단에 오른 노 후보는 당당했다. 연설은 사람들의 마음을 휘어잡았다. 과거 국회의원이나 부산시장 선거에 출마했을 때의 연설과 격이 달랐다. 언변뿐이 아니었다. 국가경영 전반에 대한 식견이 과거와는 비교가 되지 않았다. 대선 출마를 결심한 후 얼마나

치열하게 공부하고 사색했는지를 느낄 수 있었다. 발군의 경지였다. 정치연설에서 우리말을 저렇게 잘 구사할 수 있을까 생각했을 정도였다. 서면 사거리에 모인 시민들은 노 후보의 연설에 다 빠져든 것처럼 보였다. 나조차 한 사람의 시민으로 돌아가 연설에 같이 빠져들고 함께 감동하고 열광했다. 그날 같아서야 질 수 없는 선거였다.

2002년 대선에서 운명의 날은, 대선 당일이 아니라 전날이었다. 그런 선거가 또 있을까.

선거 전날 밤, 정몽준 씨가 전격적으로 후보단일화 약속을 파기하고 지지를 철회했다. 전국이 요동쳤다. 선거는 이제 망친 것처럼 참담한 분위기였다.

서울의 주변 핵심 인사들이 모두 노 후보에게 정몽준 씨를 직접 찾아가라고 종용했던 모양이다. 잘 안 됐던지, 나에게 전화가 왔다. 김원기 전 의원이셨다. 그렇게 권유를 하는데도 노 후보가 움직이지 않고 잠을 잔다고 하니, 내가 깨워서 설득을 좀 하라는 것이다. 어쨌든 가시게 됐다. 문전박대를 당했다. 씁쓸하게 돌아오는 모습이 오히려 지지자들을 분노하게 했다.

이튿날, 우리가 할 수 있는 건 하나밖에 없었다. 투표 참여를 독려해 투표율을 높이는 것이다. 부산은 전날 밤 선대본부 전화팀을 해산시킨 상태였다. 급히 다시 불러 모았다. 그들뿐 아니라 선대본부 누구라고 할 것 없이 모든 사람들은 하루 종일 전화통을 붙잡고 아는 지인들에게 투표 참여를 호소했다. 우리만 그런 줄 알았더니 많은 국민들이 같은 일을 했던 모양이다. 국민들의 마음이 움직이기 시작한 것이다. 나는 그것을 느

당선이 결정되자
거리에 사람들이 쏟아져 나왔다.
부산은 축제 분위기였다.
어깨동무를 하고 행진하는 사람들,
끌어안고 만세를 부르는 사람들,
노래를 부르거나 구호를 외치며
자축하는 사람들로 거리가 넘쳐났다.

낄 수 있었다.

선대본부 사무실에서 매 시간별로 투표율과 출구조사 결과를 계속 입수해 분석하고 있었다. 통상 아침에는 연세 많은 분들이 먼저 투표를 하기 때문에, 우리 쪽이 열세이기 마련이다. 오전 11시 정도쯤, 출구조사 결과는 여전히 지고 있었지만 달라지는 추세가 보였다. 격차가 줄어드는 것이 역력했다. 오후 1~2시를 넘어서자 이기겠다는 판단이 들었다. 서울 상황실의 이광재도 같은 판단을 말해 줬다.

오후에 출구조사 결과가 역전됐다. 확신이 섰다. 오후 6시 선대본부 사무실 TV 앞에 모두 앉았다. 최종 출구조사 결과가 발표됐다. 예상대로였다. 우리의 승리였다. 모두 끌어안고 환호했다. 누구는 울먹이며 승리를 자축했다. 가슴이 벅차올랐다. 내 생애 가장 기쁜 날 중 하나였다.

당선이 결정되자 거리에 사람들이 쏟아져 나왔다. 부산은 축제 분위기였다. 어깨동무를 하고 행진하는 사람들, 끌어안고 만세를 부르는 사람들, 노래를 부르거나 구호를 외치며 자축하는 사람들로 거리가 넘쳐났다. 오늘만큼은 나도 그 속에 들어가 시민의 한 사람으로 휩쓸리고 싶었다.

하지만 걱정이 됐다. 혹시 불상사가 생기진 않을지 염려가 앞섰다. 부산경찰청장에게 전화를 걸어 협조를 구했다. 그러고도 마음이 안 놓여, 내내 거리의 상황을 살피며 돌아다녔다. 시민들은 질서를 지키며 그 밤을 만끽했고, 경찰도 그런 시민들을 이해했다. 나를 알아본 사람들이 몰려와 같이 축하를 나눴다. 아름다운 밤이었다.

노 변호사와 함께 최루탄을 맞으며 누빈 거리였다. 민주화를 외치며 이 거리에서 드러눕기도 했다. 그 거리에 기쁨이 가득했다. 영원히 계속

되었으면 싶은 순간이었다. 앞으로 겪게 될 고통이나 고난은 생각하지도 못했다.

1

만남

2

인생

아버지와 어머니

내 부모님 고향은 함경남도 흥남이다. 우리 집안은 여러 대에 걸쳐 흥남에서 살았다. 문씨 집성촌(集姓村)이 있을 만큼 친척들이 많이 모여 살았다고 한다. 문씨 집성촌은 소나무 숲이 둘러싸인 마을이어서 '솔안마을'로 불렸다. '솔안마을' 하면 인근에서 알아줬다고 한다. 집성촌을 이루면서 오순도순 모여 살던 부모님과 친척들의 행복은 전쟁으로 끝이 났다.

부모님은 1950년 12월, 흥남 철수* 때 고향을 떠났다. 아직 젖먹이였던 누나를 업고 피난을 내려왔다. 국군과 미군이 두만강까지 올라갔다가 예상치 못한 중공군 개입으로 후퇴하게 된 상황이어서, 전열만 가다듬으면 금방 수복할 것으로 전망했다고 한다.

그래서 노인들은 남고 젊은이들만 잠시 난을 피한다는 생각으로 떠난 집들이 많았다. 우리 집도 조부모님은 남았다. 아버지는 조부모님 생사를 끝내 모른 채 돌아가셨다. 나중에 조부모님이 돌아가셨다는 소식은 전해 들었지만, 정확한 시기는 알지 못한다.

피난은 미군 LST*선박으로 이뤄졌다. 그러나 정작 피난민들은 미군이 자신들을 어디로 데려가는지도 몰랐다. 2박 3일 동안 배 밑창에서 생활했다. 중간에 미군의 통제가 느슨해졌을 때 사다리를 타고 갑판 위로 올라가 볼 수 있었다. 그때 육지 쪽의 불빛이 가깝게 보였는데, 포항이라고 했다. 그제서야 행선지가 남해안 지역임을 짐작했다.

도중에 크리스마스라며 미군이 사탕을 몇 알씩 나누어 주기도 했다. 미군이 피난민들을 데려다준 곳은, 경남 거제도에 임시로 마련된 피난민 수용소였다. 어머니는 흥남을 떠날 때 어디 가나 하얀 눈 천지였는데, 거제에 도착하니 온통 초록빛인 것이 그렇게 신기했다고 한다. 상록수림에 푸른 보리밭이 고향의 풍경과 너무 달랐던 것이다. '여기는 정말 따뜻한 남쪽 나라구나'라는 것이 거제를 본 어머니의 첫인상이었다.

겨울인데도 고향에 비해 무척 따뜻한 남도의 날씨와 더불어 거제도 사람들의 넉넉한 인심이 아무 준비 없이 내려온 피난민들을 품어 줬다. 그들이 솥이나 냄비 같은 취사도구와 먹을거리를 나눠 주며 피난 생활 초기의 어려움을 넘길 수 있도록 도와줬다. 나중에 각지로 흩어진 집안사람들이 어쩌다 한데 모여 피난살이 시절의 추억담을 주고받는 것을 들어보면, 그때 거제도 사람들의 따뜻한 인심을 고마워하는 얘기가 많았다. "거꾸로 남쪽 사람들이 흥남으로 피난 왔다면 우리가 그렇게 잘해 줄 수 있었을까"라고 말하곤 했다. 거제도를 거쳐 간 흥남 피난민들은 그 고마움을 잊지 못해 보은(報恩)운동을 하기도 했다. 흥남시민회나 성공한 사람들이 개인적으로 거제 지역 학교에 장학금을 보냈다.

어머니 아버지는 2~3주 정도 예상하고 고향을 떠났다고 한다. 그러니

그야말로 적수공권(赤手空拳) 빈털터리로 내려온 것이다. 아무 연고 없는 남쪽에서 제대로 생활할 수 있는 준비도 전혀 없이 낯선 땅의 삶을 시작했다. 뿌리 잃은 고단한 삶이었다.

아버지 집안은 그래도 가까운 친척들이 함께 피난을 내려왔지만 어머니네 쪽에서는 아무도 내려오지 못했다. 외가 동네는 흥남의 북쪽을 흐르는 성천강 바로 건너에 있었는데, 흥남으로 들어오는 '군자교' 다리를 미군이 막았기 때문이다. '흥남 철수'를 다룬 글에서 읽은 기억에 의하면 '흥남 철수'를 앞둔 가운데 피난민이 감당할 수 없이 몰려드는 것을 막기도 하고, 적(敵)이 피난민에 뒤섞여 침투하는 것을 막으려고 그렇게 한 것이라고 했다. 어쨌든 어머니는 이남에서 혈혈단신이었다. 피난살이가 너무 힘들고 고달파서 도망가고 싶을 때가 많았는데, 세상천지에 기댈 데가 없어서 도망가지 못했노라고 농담처럼 말씀하시곤 했다.

나는 거제에서 피난살이 중에 태어났다. 시골집 방 한 칸에 세 들어 살 때였다. 하필 주인집 아주머니도 함께 임신을 한 바람에, 출산 때는 임시로 구한 다른 집에서 나를 낳았다고 했다. 같은 집에서 애를 낳으면 안 된다는 속설 때문이었다. 큰집에 아들이 없어서 큰집과 우리 집을 통틀어 첫 아들이었다. 모두들 기뻐하고 축복하는 가운데 태어났다.

나중에 어머니 회갑 때 어머니를 모시고, 내가 태어난 곳을 비롯해 부모님이 피난살이하던 곳을 둘러본 일이 있다. 30년 세월이 흘렀는데도 어머니는 살던 동네, 살던 집들을 모두 기억했다. 어머니와 연세가 비슷하거나 더 많은 할머니들이 어머니를 알아보고는, 누나 이름을 붙여 옛날 부르던 호칭대로 '재월네!'라고 부르며 서로 반가워하는 것을 보았다.

아버지는 포로수용소에서 노무 일을 했다. 어머니는 거제에서 계란을 싸게 사서 머리에 이고, 나를 업은 채 부산에 건너가 파는 행상을 했다. 그걸로 조금씩 저축을 했고, 돈이 약간 모이자 내가 초등학교에 입학하기 조금 전에 부산 영도로 이사했다. 이사를 벼르다가 내가 초등학교에 입학할 때가 되자 그걸 계기로 실행에 옮기신 것이다.

이사 올 때 큰 배에서 내린 다음 조가 누렇게 머리를 숙인 밭들을 지나 이사가는 집에 도착했던 기억이 난다. 그때 영도는 행정구역상으로 부산시였지만 논밭이 많은 농촌이었다.

거제는 내가 태어난 곳이지만 어릴 때 떠나왔기 때문에 기억이 별로 남아 있지 않다. 함께 피난 온 집안들도 비슷한 시기에 모두 떠나서, 연고가 남아 있지도 않다. 그래도 나에게는 태어난 고향이고 부모님이 피난살이를 한 곳이어서 늘 애틋하게 생각되는 곳이다. 청와대에 있을 때, 그래도 거제 출신이라고 거제 지역 현안에 대해 도와달라는 요청이 오면 늘 신경을 쓰곤 했다.

* **흥남 철수** 한국전에서 중국인민군이 투입돼 전세가 불리해지자, 1950년 12월 15일에서 12월 24일까지 열흘간 동부전선의 미국군 제10군단과 국군 제1군단이 흥남항에서 피난민들을 선박 편으로 철수시킨 작전

* **미군 LST** 병력이나 전차를 상륙시키는 군용 함정

가난

아버지는 일제 때 함흥농고를 나왔다. 그곳 분들은 '함흥농업'이라고 불렀다. 함흥고보와 함께 함경도 지역의 명문이었다. 아버지는 인근에서 수재라는 말을 들었다고 했다. 어릴 때 아버지를 업어 키우기도 했다는 큰어머니 말씀에 의하면, 입학시험을 앞두고도 별로 공부하는 모습을 못 봤는데 집안에서는 물론 인근에서 혼자 '함흥농업'에 입학했다고 한다. 졸업 후 아버지는 공무원 시험에 합격했고, 북한 치하에서 흥남시청 농업계장을 했다.

그때 공산당 입당을 강요받았으나 끝까지 버티고 안 했다고 한다. 유엔군이 진주한 짧은 기간 동안 농업과장도 했다. 그리고 피난을 내려왔다. 이북에서 공무원 생활한 사람들을 공무원으로 채용하는 기회가 있었던 모양이다. 그러나 아버지는 농업계장 시절 공산당 입당을 강요받으며 시달렸던 경험 때문에 다시는 공무원 생활을 않겠다고 결심했다고 한다. 그래서 부산으로 이사 나온 후 장사를 했다. 그러나 아버지는 내가 보기에도 장사 체질이 아니었다. 조용한 성품이었고 술도 마실 줄 몰랐다. 그

저 공무원이나 교사를 했으면 체질에 맞을 분이었다.

아버지가 한 장사는 부산의 양말 공장에서 양말을 구입해 전남 지역 판매상들에게 공급해 주는 일이었다.

그러나 아버지는 몇 년간 장사하면서 외상 미수금만 잔뜩 쌓였다. 여러 곳에서 부도를 맞아 빚만 잔뜩 지게 됐다. 공장에서 매입한 대금은 갚아야 했기 때문에 오랫동안 그 빚을 갚느라 허덕였다. 혹시 나중에라도 돈을 받을 수 있을까 싶어 전표 같은 것을 꽤 오랫동안 보관했지만, 결코 그런 날은 오지 않았다. 그것으로 아버지는 무너졌고 다시 일어서지 못했다. 아무 연고 없는 타향이니 기댈 데도 없었다. 이후 아버지는 경제적으로 무능했다. 가난에서 헤어나지 못했다.

아버지는 원래 조용한 성격이었는데 실패한 이후에는 더욱 말수가 없어졌다. 나는 우리 집의 가난도 아팠지만, 분단과 전쟁 때문에 아버지가 당신의 삶을 잃은 것이 늘 너무 가슴 아팠다. 아버지는 내가 대학에서 제적당하고 구속됐다가, 출감 후 군대에 갔다 왔는데도 복학이 안 되던 낭인 시절, 내가 제일 어려웠던 때에 돌아가셨다. 불행했던 삶이 불쌍했고, 내가 잘되는 모습을 조금도 보여드리지 못한 게 참으로 죄스러웠다. 뒤늦게 내가 잘된다 해도 만회가 되는 일이 아니어서 평생의 회한으로 남아 있다.

아버지의 장사 실패 후, 집안 생계는 거의 어머니가 꾸려 나갔다. 어머니도 경제적으로 능력이 없기는 마찬가지였다. 그저 호구지책을 근근이 유지하는 수준이었다. 이 일 저 일 열심히는 하셨지만 별로 돈은 안 되는 고만고만한 일을 했다. 어머니가 처음 한 일은 구호물자 옷가지를 시장

좌판에 놓고 파는 것이었다. 우리가 사는 동네에서 작은 구멍가게를 한 적도 있었는데, 다들 가난한 데다 몇 집 되지도 않는 동네였다. 잘될 리가 없었다. 연탄배달도 했다. 좀 규모 있게 공장에서 연탄을 공급받아 팔았으면 몸은 고달파도 장사가 됐을 텐데 그게 아니었다. 가게에서 조금씩 떼다가 인근 가구에 배달해 주는 식이었다. 그러니 늘 근근이 먹고 사는 수준에서 벗어날 수 없었다.

그래도 어머니는 아버지에게 연탄배달을 거들게 하는 일은 없었다. 도움이 필요하면 나나 남동생에게 말씀했다. 하교 후나 휴일이면 연탄 리어카를 끌거나 연탄을 손에 들고 배달하는 일을 돕기도 했다. 나는 검댕을 묻히는 연탄배달 일이 늘 창피했다. 오히려 어린 동생은 묵묵히 잘도 도왔지만 나는 툴툴거려서 어머니 마음을 아프게 했다.

한번은 리어카에 연탄을 잔뜩 싣고 내가 앞에서 끌고 어머니가 뒤에서 잡아 주면서 내리막길을 내려가다가 힘이 달린 어머니가 손을 놓치고 말았다. 그 바람에 내가 무게를 감당 못해 길가에 처박힌 적이 있다. 연탄이 좀 깨어졌을 뿐 다치지는 않았는데도 어머니는 크게 상심하셨다.

우리 집뿐 아니라 다들 가난하던 시절이었다. 그때 영도에는 이북 피난민들이 많았다. 우리가 살던 산복도로 주위에는 토박이보다 우리 같은 피난민들이 더 많이 살았다.

부산 용두산공원 아래 피난민 판자촌에 큰 화재가 발생해 판자촌이 모두 불타 버렸다. 이재민들을 위한 수용촌이 몇 군데 만들어졌다. 우리 아래 동네도 그중 하나였는데, 정말 찢어지게 가난한 동네였다.

흔히 이북 피난민들이 생활력이 강해 성공한 사람이 많다는 말을 많이

한다. 내가 보기엔 그렇지 않다. 전쟁 전에 북한 체제가 싫어 내려온 사람들은 대개 상류층이고 가산을 정리해 내려왔기 때문에 대체로 형편이 괜찮았다. 전쟁 통에 갑자기 피난 온 사람들은 그렇지 못했다. 맨손의 피난살이에서 성공한다는 것이 결코 쉬운 일이 아니었다. 대부분, 당대에는 가난을 벗어나지 못했다.

가난한 사람들이 많아 근처에 있는 성당에서 구호식량을 배급해 주기도 했다. 미국이 무상 원조하는 잉여 농산물이었을 것이다. 주로 강냉이 가루였고, 전지분유*를 나눠 줄 때도 있었다. 끼니 해결에 도움이 됐다. 내가 초등학교 1~2학년 때 배급 날이 되면 학교를 마친 후 양동이를 들고 가 줄 서서 기다리다 배급을 받아오곤 했다. 싫은 일이었지만, 그런 게 장남 노릇이었다.

꼬마라고 수녀님들이 사탕이나 과일을 손에 쥐어 주기도 했다. 그때 수녀님들이 수녀복을 입고 있는 모습은 어린 내 눈에 천사 같았다. 그런 고마움 때문에 어머니가 먼저 천주교 신자가 됐다. 나도 초등학교 3학년 때 영세를 받았다. 영도에 있는 신선성당이었다. 나는 그 성당에서 결혼식을 올렸다. 어머니는 지금도 그 성당에 다니신다. 신앙심이 깊은 데다 워낙 오래 다녔기 때문에 사목회 여성부회장을 하기도 했고, 성당의 신용협동조합 이사를 지내기도 했다.

가난하기는 학교도 마찬가지였다. 내가 다닌 남항초등학교는 원래 작은 학교였다. 그런데 피난민이 몰려들어 한 학년 학생 수가 1,000여 명이 될 정도로 늘어났다. 어쩔 수 없이 운동장 주변에 판자와 함석지붕으로 임시교실을 지었다. 가교사(假校舍)라고 불렀다. 입학 때부터 3학년까지

가교사에서 공부했다.

교실바닥이 맨땅이어서 비가 많이 오면 물바다가 되었다. 그러면 수업을 중단하고 아이들을 귀가시켰다. 초등학교 1학년 추석(1959년 9월) 때 기상관측 이후 최대의 태풍이라는 '사라'가 부산 지역을 덮쳤다. 연휴 끝나고 등교했더니 가교사들이 강풍에 모두 날아가고 없었다. 그때부터 교실이 있던 곳 땅바닥에서 수업을 했다. 책상이 없으니 그림 그리는 화판을 목에 걸고, 그 위에 책과 공책을 올려놓고 수업했다. 지붕이 없어서 비가 오면 수업을 그만두고 귀가해야 했다. 나중에 6학년들이 졸업한 후에야 그 교실을 임시로 쓰면서 가교사를 다시 지었다.

태풍 사라에 우리 집도 지붕이 날아갔다. 지금도 그 일이 기억에 생생하다. 그때 우리 집은 흙벽돌로 지었고 지붕은 판자에 루핑*이 씌워져 있었다. 하필 아버지가 장사를 떠났다가 미처 돌아오지 못해 집에 안 계실 때였다.

세찬 태풍이 몰아쳐 나무로 된 부엌문을 계속 흔들자 문이 견디지 못해 장석*이 떨어져 나갔다. 어머니와 내가 문이 열리지 않도록 붙잡았고 누나도 거들었다. 그러다가 바람의 힘을 이기지 못해 문을 놓쳤다. 문이 확 열리면서 남은 장석마저 떨어져 나갔다. 그러자 바람이 순식간에 집 안으로 밀고 들어왔다. 바람이 집에 가득 차서 집 안이 팽창하는 듯하더니 어느 순간 바람이 위로 빠져 나가는 것이 느껴졌다. 지붕이 통째로 날아갔다. 그 지붕은 어디로 날아가 버렸는지 찾지도 못했다.

초등학교 다닐 때 학교에 매달 내는 돈이 있었다. 처음에는 '월사금'이라고 했다가 '사친회비'로 이름이 바뀌었다. 6학년 무렵엔 다시 '기성회

그때 수녀님들이 수녀복을 입고 있는 모습은 어린 내 눈에 천사 같았다.

그런 고마움 때문에 어머니가 먼저 천주교 신자가 됐다.

나도 초등학교 3학년 때 영세를 받았다.

비'로 이름이 바뀐 것으로 기억한다. 가난 때문에 그 돈을 제때 못 내는 아이들이 많았다. 담임 선생님이 돈을 내지 않은 아이들의 이름을 부르며 독촉을 했다. 불러 일으켜 세워서 야단을 치기도 했다. 그래도 계속 못 내면 집에 가서 돈을 받아 오라며 수업 중에 학교에서 내쫓았다.

한 반이 80명 정도였는데 쫓겨나는 아이가 20여 명이나 됐다. 우리 집은 가난해도 학교에 내는 돈만큼은 어떡하든 마련해 줬다. 그래도 어쩔 수 없이 늦을 때가 있었고, 다른 아이들과 함께 집으로 쫓겨 가기도 했다.

가난하면 일찍 철이 들기 마련이다. 선생님이 쫓아 보낸다고 집으로 가는 아이는 거의 없었다. 집으로 간다고 해결될 일도 아니었고, 어른들 마음만 아프게 할 뿐이었다. 그냥 우리끼리 이송도 바닷가에 가서 놀다가 학교 마칠 때쯤 교실로 돌아갔다. 선생님에게는 "집에 아무도 안 계시데요"라거나 "엄마가 언제 준다 하데요"라고 집에 다녀온 양, 다들 거짓말을 했다.

초등학교 6학년 때 그렇게 쫓겨나서는 우르르 만화방에 가서 만화를 보고 나오다 바로 만화방 문 앞에서 담임 선생님과 딱 맞닥뜨렸다. 모두 학교로 끌려가서 실컷 두들겨 맞았다. 그렇게 늘상 시달리다가 아예 학교를 그만두는 아이들도 있었다. 나중에 만나 보면 제화점이나 양복점 같은 데서 '시다'(조수)로 일한다고 했다. 졸업이 다가왔을 무렵에야 알게 됐는데, 사친회비나 기성회비를 전원 다 내야 하는 건 아니었다. 기억이 정확하지 않지만 학급 인원 중 3분의 2만 내면 됐다. 그보다 초과 납부되면 담임 선생님 수입이 되기 때문에 그렇게 독촉을 한 것이었다.

가난한 아이들은 설과 추석 때나 겨우 목욕탕에 갔다. 선생님들이 위

생검사를 한다며 한 번씩 웃통을 벗겨 보고는, 때가 많으면 아이들 앞에서 창피를 주기도 했다. 나는 그런 일을 한 번도 겪지 않았지만 다른 아이가 겪는 것을 보면서도 모멸감과 함께 반항심을 느끼곤 했다.

초등학교에서 도시락이 필요한 학년이 됐을 때 아이들 태반은 도시락을 싸오지 못했다. 도시락을 싸오지 못하는 아이들에게 학교에서 급식을 했다. 학교가 공급받는 급식재료 양이 일정하지 않았던지 강냉이떡을 한 개씩 줄 때도 있었고, 반 개씩 줄 때도 있었다. 그나마도 안 될 때는 강냉이죽을 끓여서 줬다.

그런데 급식을 나눠 주는 그릇이 없었다. 강냉이떡은 그래도 괜찮았지만 강냉이죽일 때가 문제였다. 도시락을 싸온 아이들의 도시락 뚜껑을 빌려서 죽을 받아먹도록 했다. 도시락 뚜껑이 부족할 때엔 2명이 교대로 사용하기도 했다. 나도 그렇게 급식을 받았다. 도시락 뚜껑을 빌릴 때마다 자존심이 상했다. '학교에서 그릇을 제공해 주거나, 그게 어려우면 집에서 그릇을 가져오게 하면 될 텐데……'라는 생각을 했다.

그런 개인적 경험 때문에 요즘 무상급식 논쟁을 관심 있게 본다. 참여정부 때 '방학 중 결식아동'에 대한 급식을 처음 시작했다. 첫 방학이 끝난 후 점검해 봤는데 전달률이 뜻밖에 낮았다. 원인을 알아보니 아이들의 자존심을 상하게 하지 않는 전달방법이 강구되지 않아 차라리 굶는 쪽을 선택한 아이들이 많았기 때문이다. 급식 못지않게 중요한 것이 아이들의 자존심을 지켜 주는 일임을 확인했다.

가난 때문에 하고 싶어도 못 한 것이 많다. 돈이 드는 일은 애당초 부모님께 말씀드릴 수가 없었다. 지금도 나는 자전거를 타지 못한다. 집에 자

전거가 있었던 적이 없기 때문이다. 중학교 때 학교 앞에 자전거 대여점이 있어서 방과 후 빌려 타는 아이들도 있었지만, 그것도 돈이 없어서 해볼 수가 없었다.

어릴 때 좋아했던 팽이치기, 자치기, 연날리기 같은 것도 놀이도구를 사지 못해 집에서 만들어 써야 했다. 다른 아이들은 아버지나 형이 만들어 줬다. 나는 아버지가 늘 장사 가서 집에 계시지 않았기 때문에 내가 직접 만들었다. 아버지가 집에 계셨어도 워낙 손재주가 없는 분이어서 별 도움이 되지 않았을 것이다.

연실을 감는 '자세'(얼레)를 만드는 데, 내 재주로 '일자 자세'는 만들 수 있었지만 감는 속도가 훨씬 빠른 '통 자세'는 목공 기술이 필요했다. 도저히 만들 수가 없어서 해마다 아쉬웠던 기억이 난다. 굴렁쇠도 여러 번 시도했지만 굴렁쇠 굴리는 채를 만드는 데 끝내 실패했다.

초등학교 3학년인가 4학년 무렵에 부엌칼로 자치기용 자를 깎다가 실수로 왼손 집게손가락을 내려쳐서 손톱의 거의 3분의 1가량이 잘려 나갈 정도로 크게 다친 일이 있다. 엄청나게 아프기도 하고 피가 많이 나서 무서웠지만, 집에 아무도 없어서 혼자 헝겊을 감고 처치를 했다.

그 후 아물 때까지 '아까징끼'라고 불렸던 머큐로크림*을 바르며 버텼다. 견딜 만해서 끝내 어른들께 말씀드리지 않고 숨겼다. 아마 요즘 같았으면 병원에 가서 몇 바늘은 꿰맸어야 했을 것이다. 가능하면 혼자서 해결하는 것, 힘들게 보여도 일단 혼자 해결하려고 부딪혀 보는 것, 이런 자세가 자립심과 독립심을 키우는 데 많은 도움이 됐다고 생각한다. 가난이 내게 준 선물이다. 가난이 내게 준 더 큰 선물도 있다. '돈이라는 게 별

로 중요한 게 아니다'라는 지금의 내 가치관은 오히려 가난 때문에 내 속에 자리 잡은 것이다. 아마도 가난을 버티게 한 나의 자존심이었을지 모르겠다. 부모님도 마찬가지였다. 우리를 가난 속에서 키우면서도 돈을 최고의 가치로 여기지 않게 가르쳤다. '돈이 중요하긴 하지만 돈이 제일 중요한 건 아니다.' 그런 가치관이 살아오는 동안 큰 도움이 됐다.

부모님은 교육열이 특별히 높은 분들이었다. 좀 늦어서 그렇지, 어떻게든 월사금을 마련하셨다. 그래도 가난은 나를 주눅 들게 만들었다. 선생님 질문에 학생들은 저마다 "저요, 저요!" 하고 손을 들었다. 나는 한 번도 손을 들어 본 적이 없다. 선생님이 시키면 마지못해 대답하지만, 내 스스로 손 들고 발표하는 일은 한 번도 없었다. 물론 부모님이 학교에 찾아오는 일도 없었다.

* **전지분유** 우유를 그대로 건조시켜 분말로 만들어 첨가물을 넣지 않은 것. 물을 부으면 다시 우유로 환원되는 환원유로 쓰이며, 고소한 맛을 냄

* **루핑** 시트 모양으로 된, 길이가 긴 지붕 재료

* **장석** 목조가구나 건축물에 부착해 결구나 모서리를 보강하는 금속제 부재

* **머큐로크롬** 붉은 갈색을 띤 유기 수은 화합물로 된 살균 소독제

문제아

초등학교 때 나는 눈에 띄지 않는 아이였다. 키도 작고 몸도 약했다. 아주 내성적이어서 선생님 관심을 받아 본 적도 없고, 수업 시간 외에 선생님을 따로 만난 기억도 없다. 하기야 선생님들도 가난한 동네에 한 학급 학생 수가 80명이 넘으니 일일이 관심을 기울일 수도 없었을 것이다.

학기 말과 학년 말 방학 때 선생님이 '통지표(성적표)'를 나눠 줬다. 5학년 때까지 '수, 우, 미, 양, 가'로 표시되던 성적에서 '수'는 드물고 대부분 '우'나 '미'에 '양'도 있었다. '가, 나, 다'로 표시하던 행동발달 사항도 그저 그랬다. 성적에 별 관심이 없었다. 부모님도 통지표를 보고 나무라거나 하지 않았다.

중학교 입시가 있던 시절이어서 6학년이 되자 학교에서 늦게까지 아이들을 공부시켰다. 시험도 매일 치다시피 했고, 모의시험도 자주 쳤다. 그렇게 해서 4월쯤 되자 내가 공부를 잘하는 편이라는 사실을 처음 알았다.

하루는 담임 선생님이 부르더니 성적이 매우 좋다고 칭찬했다. 자기에

게 과외 수업을 받으면 일류 학교에 갈 수 있을 것이라며, 집에 가서 말씀드리라고 했다. 알고 보니 반에서 공부 잘하는 아이들은 대개 5학년 2학기 무렵부터 담임 선생님에게 과외 수업을 받고 있었다. 방과 후에 선생님 댁에 모여 밤늦게까지 공부한다고 했다. 과외 수업료가 우리 집 형편으로는 불가능한 액수였다. 형편이 안된다고 말씀드렸다. 집에 가서는 아예 말도 꺼내지 않았다.

순진하던 때여서 다른 생각 없이 열심히 공부했다. 입학시험 과목이 음악, 미술, 체육까지 포함해 전 과목이었다. 체육만 실기였고, 음악과 미술은 필기시험이었다. 초등학교 내내 풍금 같은 악기로 음악 교육을 받은 적이 한 번도 없었다. 그냥 '미솔 도미솔 파라라 솔시레파 미레도……' 하며 '태정태세 문단세……' 하듯이 계명을 외워 시험을 쳤다.

체육시험 종목은 달리기, 넓이뛰기, 던지기, 턱걸이 등이었다. 팔 힘이 약해 턱걸이가 전혀 되지 않았다. 친구가 식초를 많이 먹으면 뼈가 유연해져서 턱걸이를 잘할 수 있다고 했다. 슬깃해서 어머니가 안 계실 때 부엌에서 식초를 한 모금 마셨다. 요즘과 같은 양조식초가 아니고 빙초산이었다. 입에 들어가는 순간 입속에서 불이 났다. 순간적으로 내뱉은 덕분에 위로 넘어가지는 않았다. 만약 그랬으면 더 큰일이 났을 것이다. 그래도 입술과 입 안, 식도까지 부풀어 올라 며칠 동안 음식을 제대로 먹을 수 없었다. 아픈 것보다 한동안 창피해서 얼굴을 들 수 없었다. 그 일이 나중에 후배들에게 입시 준비에 악착같았던 사례로 얘기되기도 했다는 말을 들었다.

다행히 그 무렵 부산에서 최고 일류 학교로 꼽히던 경남중학교에 합격

했다. 내가 다니던 초등학교에서 합격자가 몇 명 되지 않았다. 부모님도 정말 기뻐했다. 아마 내가 태어난 후 가장 큰 기쁨을 드린 때였을 것이다. 아버지가 나를 데리고 국제시장에 있는 교복 맞춤집에 가서 교복을 맞춰 줬다. 그럴 때 아버지는 언제나 함경도 사람이 하는 집을 찾아가곤 했다. 교복집 주인이 학교를 물어보고는 아버지에게 축하 말을 건네자, 아버지가 자랑스러워하던 모습이 지금도 기억에 남아 있다.

일단 중학교 입시관문을 넘어서자 고등학교 입시는 수월했다.

경남중학교는 시내 잘사는 동네에 있었고 아이들도 대체로 부유했다. 처음 등교해 보니 입학 전에 학원에서 영어를 배워 온 아이들이 많았다. 중학교에서 배우기도 전에 영어책을 술술 읽는 아이들이 많았다. 복도에 "Boys, be ambitious!" 같은 글을 붙여 놓았는데, 저희들끼리 읽고 해석하는 걸 보며 나는 처음부터 기가 죽었다. 가난한 아이들이 많았던 초등학교 때와는 분위기가 완전히 달랐다.

노는 문화가 전혀 달랐고 용돈 씀씀이도 큰 차이가 나서 함께 어울리기가 어려웠다. 어쩌다 친구들 집에 따라가 보면 나로서는 처음 보는 호사스러운 집에, 정원에, 가구가 놀랍기만 했다. 그에 더해 일하는 사람들로부터 도련님으로 떠받들어지는 모습에 더 주눅이 들곤 했다. 그 무렵 부잣집에는 '식모'라고 부르던 가사고용인을 두는 집들이 많았다. 세상의 불공평함을 처음으로 크게 느꼈다.

점차 학교 도서관에서 보내는 시간이 많아졌다. 책을 읽을 때가 가장 행복했다. 책 읽기를 좋아하는 습성은 아버지 덕이 컸다. 아버지가 장사를 다닐 때 한번 장사를 떠나면 한 달여 만에 돌아오시곤 했다. 그럴 때마

다 꼭 내가 읽을 만한 동화책이나 아동문학, 위인전 등을 사 오셨다. 안데르센 동화집, 강소천 선생의 아동문학, 어린이용 플루타르크 위인전 같은 책들이었다. 「집 없는 아이」 같은 외국작가의 장편 아동문학도 있었다. 교과서 말고 처음 접하는 책이어서 그런 책을 읽는 것이 너무 재미있었다. 아버지가 다음 책을 사 올 때까지 두 번, 세 번 되풀이해 읽었다.

책 읽는 재미를 알게 된 후로는 늘 책에 굶주렸다. 아버지가 장사를 그만두면서 책을 사 오는 것도 끝났기 때문이다. 새 학년이 되면 나는 내 책뿐 아니라 3년 위인 누나 책까지 뒤져 읽을거리들을 한꺼번에 다 읽어치우곤 했다. 국어나 사회생활 책에 있는 '이야기'들이었다. 그러다 중학교에 들어가면서 도서관을 알게 됐다. 읽을 책이 그야말로 무궁무진했다. 닥치는 대로 읽어 나갔다. 그 재미에 빠져 2학년 때 3개월가량을 매일 도서관 문 닫을 때까지 있다가 의자 정리까지 도와준 다음 집으로 돌아오기를 계속한 일도 있었다.

시간이 날 때마다 학교 도서관에 가거나 책을 대출받아 읽는 것은 고등학교를 마칠 때까지 계속됐다. 처음에는 우리나라 소설에서 시작해 외국소설로, 그리고 점차 다른 책들로 독서 영역이 넓어졌다. 닥치는 대로 읽었기 때문에 「사상계」*같은, 의식을 깨우치는 잡지도 비교적 일찍 접했다. 야한 소설책도 일찍 읽어 봤다. 체계적인 계획이나 목표 없이 마구 읽었다. 중·고등학교 6년간 무척 많은 책을 읽었다. 독서를 통해 세상을 알게 되고 인생을 알게 됐다. 사회의식도 생겼다.

중학교 때 읽은 김찬삼 교수의 『세계일주 무전여행기』 같은 책들은 내게 세계 여행의 꿈을 심어 줬다. 물론 지금까지 꿈에 그치고 있는 일이다.

그래도 네팔·인도의 트레킹 여행과, 실크로드 여행 정도라도 하게 된 것은 그 꿈의 작용일 것이다.

지금도 나는 책읽기를 좋아한다. 아니 좋아하는 차원을 넘어, 어떨 땐 활자중독처럼 느껴진다. 어디 여행을 가도 가져가는 책 때문에 짐이 더 무거워진다. 쉴 때도 손 닿는 곳에 책이 없으면 허전하다.

자연히 학교 공부는 뒷전이었다. 입시공부를 별로 중요하게 생각하지 않았다. 그냥 상위권의 등수를 유지하는 것에 만족했다. 부모님도 시험 기간에조차 다른 책을 읽는 것을 보고서도 나무라지 않았다. 괜찮은 등수를 유지하고 있으니 제 할 일은 하고 있을 것으로 믿으셨던 모양이다.

부모님은 중·고등학교 6년 내내 나에게 공부하라고 잔소리하거나 간섭하지 않았다. 그냥 믿고 맡겨 주셨다. 나는 그 자유를 학교 공부에 쓰지 않고 엉뚱한 데 쓴 셈이다. 결국 나중에 대학 입시 때 학교 공부를 열심히 하지 않은 대가를 치렀다. 그래도 독서를 통해 나의 내면이 성장하고 사회의식을 갖게 됐으니, 그 대가를 보상받기에 충분한 것이었다고 생각한다.

내가 사회의식을 비교적 일찍부터 키워 나갈 수 있었던 것은, 상당히 일찍 신문을 읽기 시작했던 것도 작용했을 것이다. 책에 굶주렸던 것과 같은 이유로, 나는 아버지가 보는 신문을 어릴 때부터 읽기 시작했다.

읽을거리가 궁해서였다. 당시 신문엔 한자(漢字)가 꽤 많이 섞여 있었다. 처음에는 한자가 없는 연재소설 같은 부분만 골라서 읽다가, 차츰 한자가 섞인 기사까지 읽게 됐다. 자꾸 읽다 보니 문맥으로 뜻을 알 수 있었고, 자주 쓰이는 쉬운 한자는 깨우칠 수 있게 됐다. 아버지는 그 당시 대

부모님은 중·고등학교 6년 내내
나에게 공부하라고 잔소리하거나 간섭하지 않았다.
그냥 믿고 맡겨 주셨다. 나는 그 자유를
학교 공부에 쓰지 않고 엉뚱한 데 쓴 셈이다.
결국 나중에 대학 입시 때
학교 공부를 열심히 하지 않은 대가를 치렀다.
그래도 독서를 통해 나의 내면이 성장하고
사회의식을 갖게 됐으니,
그 대가를 보상받기에 충분한 것이었다고 생각한다.

표적 야당지로 이름 높았던 「동아일보」 고정 독자였다. 나도 그 신문을 오랫동안 보면서 사회현실에 대한 비판의식을 키워 나갈 수 있었다. 그런 의미에서 나는 요즘 너무 많이 달라져 버린 「동아일보」가 안타깝다. 옛날의 모습으로 되돌아가기를 바라 마지않는 옛 독자 중 한 명이다.

고등학교에 입학하고 머리가 굵어지면서 사회에 대한 반항심 같은 게 생겼다. 고3 올라가선 술 담배도 하게 됐다. 내가 다닌 경남고등학교는 걸핏하면 "한강 이남에서 제일"이라 말할 정도로 일류 학교라는 자부심이 강했다. 대학 입시를 중시했지만, 요즘과는 달랐다. 공부는 학생들이 각자 알아서 하도록 했다. 입시 과목이 대학마다 달랐기 때문이기도 했다. 서울대는 입시 과목이 전 과목이었지만, 연·고대만 해도 주요 과목만 시험을 쳤다. 학생들도 요즘처럼 오로지 공부에만 매달리지 않았다. 서클활동을 했고, 방학 때 무전여행이나 캠핑을 가기도 했다. 고3쯤 되면 술 담배를 하는 학생도 꽤 있었다. 학교에서도 웬만하면 모른 척했다. 술 담배를 하게 되면서 '노는 친구들'과도 어울렸다. 축구를 좋아해 공 차는 애들과도 가깝게 지냈다. 공부는 더 뒷전이 됐지만 친구들을 폭넓게 사귀게 됐다.

그러다 학교에서 처벌을 받기도 했다. 고3 봄 소풍 때였다. 대학입시 때문에 가을 소풍이 없어서 학창시절 마지막 소풍이었다. 자유 시간에 친구들과 인근 마을에서 술을 사와서 마셨는데, 한 친구가 몸을 가누지 못할 정도로 많이 취했다. 들킬까 봐 걱정이었는데, 아니나 다를까 집합 시간에 이 친구가 담임 선생님 앞에서 인사불성 뻗어 버렸다. 할 수 없이 함께 술을 마셨다고 이실직고한 후, 몇 명이 그 친구를 업고 병원에 갔다.

위세척까지 하고서야 깨어났다. 학교에서 처벌을 하니 마니 하다가 그래도 의리를 지켜 이실직고한 정상이 참작돼, 뺀은 친구만 정학 받는 것으로 끝났다.

그 후 여름방학 끝날 무렵 친구들과 축구시합을 한 다음, 학교 뒷산에서 술 마시고, 담배 피우며 고성방가 하다가 하필 당직을 하고 있던 지도부 주임 선생님에게 걸렸다. 그리고 몽땅 유기정학을 받았다. 중·고등학교 때 내 별명은 '문제아'였다. 처음엔 그냥 이름 때문에 생긴 별명이었는데, 그 두 번의 일로 진짜 문제아가 됐다.

부모님은 그런 일이 있는 줄도 까마득히 몰랐다. 어쩌다 술을 마시고 담배를 피우기도 한다는 정도는 눈치채고 있었지만, 크게 엇나갈 것으로 생각하지 않았던지 모른 척해 주셨다.

내가 고등학교에 다닐 무렵은 지금처럼 대학생 수가 많지 않았다. 고등학생이면 많이 배운 축에 속했다. 사회에서 고등학생들을 요즘처럼 어리게만 보지 않고 꽤 어른 대접을 해 줬다. 4·19 전통이 아직 생생할 때여서, 중요 시국상황을 맞이하면 고등학생도 시위 대열에 동참했다. 우리학교에서도 내가 2학년 때 전교생이 3선 개헌* 반대 데모를 하고 교문밖 진출을 시도했다. 그 무렵 막 도입된 페퍼포그 차*까지 출동해 교문을 막는 바람에, 밖으로 나가지는 못했다. 그 일로 꽤 오랫동안 휴교를 했다. 한편 그해 초부터 고등학교에서도 교련*이 실시됐다. 장기집권을 위해 학교를 병영화하고, 학생들을 장악하려는 의도였다. 그에 대한 불만도 많았다. 교련시험 때 백지 답안지를 집단으로 낸 일도 있었다. 그런 일들이 우리의 사회의식과 정치의식을 크게 키워 줬다.

어쨌든 순수하고 좋은 시절이었다. 경남고등학교 동기들 가운데 나중에 잘된 친구들이 많다. 박맹우 울산시장, 한나라당 서병수 최고위원, 박종웅 전 의원, 최철국 전 의원, 진익철 서초구청장 등이 정치권에 있는 동기들이다. 건축가 승효상, 연출가 이윤택 같은 문화예술계 인사들도 있다. 행정고시를 거쳐 고위관직을 지낸 동기들도 꽤 여럿이고 법조계에 몸담고 있는 친구들도 있다. 대학에서 학생들을 가르치는 친구들도 많고 대학교 총장을 역임한 친구도 있다. 어느덧 고등학교를 졸업한 지 40년이 지나, 얼마 전 졸업 40주년 홈커밍 행사를 했다.

* **빙초산** 식초에서 신맛을 내는 성분이 '아세트산'인데, 아세트산이 99퍼센트 이상 든 것. 희석시키지 않은 액체 상태의 빙초산이 피부에 닿을 경우 피부의 단백질이 녹게 되며, 주요 장기까지 흘러들어가면 손상을 일으켜 사망까지 이를 수 있음

* 「**사상계**」 1950년대, 재야의 백낙준, 장준하 선생 등이 사재를 털어 만든 독립적 잡지. 이후 이승만·박정희 독재 정권에 맞서 싸우는 양심세력의 대변 잡지가 됨. 당시 지식인층과 학생층에서 폭발적인 인기

* **3선 개헌** 1969년 대통령 박정희의 3선 연임을 목적으로 추진된 제6차 개헌. 박정희는 이를 통해 1971년 4월 제7대 대통령선거에 다시 출마할 수 있는 법적 근거를 마련했고, 또 당선됨으로써 1972년 이후 유신체제와 함께 장기집권에 돌입

* **페퍼포그 차** 시위진압용 최루가스 연기가 뿜어져 나와 시위대를 해산시킬 수 있도록, 가스 발사 장치를 장착한 경찰 특수 차량

* **교련** 과거 군사교육 이수자가 아닌 일반 학생들에게 실시된 군사 관련 교육훈련 과목. 주로 고등학생이나 대학생들을 대상으로 실시됨

대학, 그리고 저항

나는 원래 대학에서 역사를 전공하고 싶었다. 학교 다니는 내내 역사 과목이 가장 재미있었고, 성적도 제일 좋았다. 지금도 나는 역사책 읽는 걸 좋아한다. 처음 변호사할 때 '나중에 돈 버는 일에서 해방되면 아마추어 역사학자가 되리라'는 생각을 한 적도 있다. 그래서 대학입시 때에도 역사학과를 가고자 했다. 그런데 담임 선생님과 부모님이 반대했다. 내 성적이 법·상대에 갈 수 있는 등수라는 게 이유였다. 할 수 없이 방향을 틀었는데, 입시공부를 등한히 한 대가를 톡톡히 치렀다. 대학 입시에서 실패했다. 재수 끝에 당시 후기였던 경희대 법대에 입학했다. 학교 부근에서 하숙생활을 시작했다.

시대는 점점 암울해졌다. 1학년 때, 박정희 정권이 10월 유신을 선포했다. 3선 개헌으로 집권을 연장한 것으로도 모자라, 아예 영구집권을 하려는 것이었다. 전날 밤 탱크들이 시내를 질주했다. 다음 날 아침엔 대학마다 탱크가 진주해 있었고, 유신 선포와 동시에 무기 휴교령이 내려졌다. 대학생들은 강의실 대신 술집이나 하숙집에서 모여 시국을 개탄했고

울분을 토했다.

10월 유신은, 법대생에게는 더더욱 황당한 일이었다. 유신헌법이 만들어지자 기존의 법전과 교과서들이 무용지물이 돼 버렸다. '그래도 법학이 학문이라고 할 수 있는가', '법학이 과연 학문인가'라는 회의가 법대생들을 짓눌렀다. 수업에 들어가기 싫었다.

새 학기가 돼 학교 문이 다시 열렸을 때 있었던 헌법교수의 첫 강의가 오래 기억에 남아 있다. 당시 꽤 유명한 헌법학자였던 그분은 자신이 쓴 헌법학 책을 강의 교재로 썼는데, 휴교 기간에 유신헌법 책을 새로 쓰고 새 책으로 강의를 했다.

100분 강의 내내 학생들을 바라보지 못하고, 교실 천장만 바라보면서 강의했다. 유신헌법 책을 쓰고 유신헌법 강의를 할 수밖에 없는 부끄러움을 제자들에게 그렇게 표현한 것이다.

그 시절 나의 사회의식을 키운 것은 하숙생활이었다. 일상생활에 아무 통제가 없는 자유에다 대학생들끼리 모여 있으니 밤늦게까지 시국담론을 나누기 일쑤였다. 나는 고등학교 선배들과 함께 하숙을 했다. 여러 대학이 섞여 있어서, 다른 대학의 학내저항운동 소식을 들을 수 있었다. 현실비판적인 사회과학 서클 또는 농촌운동 서클들의 소식, 지하신문들, 학내 시위 소식과 시위 때 뿌려진 선언문 같은 것도 접했다. 선배나 친구들을 따라, 그 시절 학생운동이 가장 강했던 서울대학교 문리대와 고려대 시위를 구경 가기도 했다.

대학 시절 나의 비판의식과 사회의식에 가장 큰 영향을 미친 분은, 그 무렵 많은 대학생들이 그러했듯 리영희 선생*이었다. 나는 리영희 선생

의 『전환시대의 논리』가 발간되기 전에, 그 속에 담긴 '베트남 전쟁' 논문을 「창작과 비평」*잡지에서 먼저 읽었다. 대학교 1, 2학년 무렵 잡지에 먼저 논문 1, 2부가 연재되고, 3학년 때 책이 나온 것으로 기억한다. 처음 접한 리영희 선생 논문은 정말 충격적이었다. 베트남 전쟁의 부도덕성과 제국주의적 전쟁의 성격, 미국 내 반전운동 등을 다뤘다. 결국은 초강대국 미국이 결코 이길 수 없는 전쟁이라는 것이었다.

처음 듣는 이야기는 아니었다. 우리끼리 하숙집에서 은밀히 주고받은 이야기였다. 그러나 누구도 부인할 수 없는 근거가 제시돼 있었고, 명쾌했다. 한 걸음 더 나아가 미국을 무조건 정의로 받아들이고 미국의 주장을 진실로 여기며 상대편은 무찔러야 할 악으로 취급해 버리는, 우리 사회의 허위의식을 발가벗겨 주는 것이었다. 나는 그 논문과 책을 통해 본받아야 할 지식인의 추상(秋霜)같은 자세를 만났다. 그것은 두려운 진실을 회피하지 않고, 직시하는 것이었다. 진실을 끝까지 추구하여, 누구도 부인할 수 없는 근거를 가지고 세상과 맞서는 것이었다. 목에 칼이 들어와도 진실을 세상에 드러내고, 진실을 억누르는 허위의식을 폭로하는 것이었다.

리영희 선생은 나중에 월남 패망*후 「창작과 비평」 잡지에 베트남 전쟁을 마무리하는 논문 3부를 실었다. 결국 월남 패망이라는 세계사적 사건을 사이에 두고 논문 1, 2부와 3부가 쓰인 셈이었다. 논리의 전개나 흐름이 그렇게 수미일관(首尾一貫)할 수 없었다. 1, 2부는, 누구도 미국의 승리를 의심하지 않을 시기에 미국의 패배와 월남의 패망을 예고했다. 3부는 그 예고가 그대로 실현된 것을 현실에서 확인하면서 결산하

는 것이었다. 적어도 글 속에서나마 진실의 승리를 확인하면서, 읽는 나 자신도 희열을 느꼈던 기억이 생생하다.

노 변호사도 리영희 선생 영향을 많이 받았다. 노 변호사가 인권 변호사로 투신한 계기가 되었던 '부림사건'은 청년과 학생들이 수십 권의 기초 사회과학서적 또는 현실비판 서적을 교재로 공부한 것이 빌미가 됐다. 기소 내용엔 '그 책들을 읽으면서 북한 또는 국외 공산계열의 활동을 찬양·고무했다'는 내용이 포함돼 있었다. 노 변호사는 변론을 위해, 수십 권의 서적을 깡그리 독파했다. 그 가운데 리영희 선생의 책 『전환시대의 논리』와 『우상과 이성』도 있었다. 변호사로서 변론을 위해 읽은 책을 통해 많은 영향을 받은 셈이다. 이후 노 변호사는 더욱 폭넓은 사회과학 서적을 탐독하게 됐고, 그것을 통해서 이른바 '의식화' 됐다. 리영희 선생 책이 그 출발이었다.

그 후 우리가 부민협을 할 때, 리영희 선생 초청 강연회를 두세 번 한 적이 있다. 뒤풀이 자리에서 내가 리영희 선생에게 질문했다. "중국의 문화대혁명*을 높이 평가했던 것이 오류가 아니었는가"라고. 그는 망설임 없이 분명하게 대답했다. "오류였다. 글을 쓸 때마다 객관성을 확보하기 위해 무척 노력했는데, 그 시절은 역시 자료접근의 어려움 때문에 한계가 있었던 것 같다. 또 그때는 정신주의에 과도하게 빠져 있었던 것 같다." 그 솔직함이 참으로 존경스러웠다.

당시 경희대는 학생운동이 약했다. 의식 있는 학생들은 개별적으로 흩어져 있었다. 스터디 그룹 같은 것도 형성돼 있지 않았다. 제대로 된 사회과학 서클도 없었다. 2학년 때인 1973년 하반기부터 전국적으로 유신 반

대 투쟁이 본격화됐다. 서울대학교 문리대 시위를 시작으로 대학생들의 시위가 전국 각 대학으로 확산됐다. 개헌청원 100만 명 서명운동, 긴급조치 1호, 긴급조치 4호와 민청학련 사건, 인혁당 사건 등이 이어졌다. 그런 동안에도 경희대는 시위라고 할 만한 것이 없었다. 시위 시도는 간헐적으로 있었으나, 이끄는 중심세력이 없어 불발에 그쳤다.

3학년 가을, 학교에서 재단 퇴진 농성이 있었다. 그걸 계기로 뜻이 맞는 친구들과 유신 반대 시위를 기획했다. 우리 팀이 선언문을 준비해서 배포하고 학생들을 교내 '교시탑'(校是塔) 앞까지 모으는 일을 맡았다. 그 후 시위 주도는 부학생회장단이 맡기로 했다. 우리 팀은 아무도 모르게 시위 준비만 해 준 후 잠적해 버리고, 부학생회장단이 현장에서 직책 때문에 어쩔 수 없이 앞장서게 된 것으로 역할을 나눔으로써 처벌을 피하자는 계획이었다.

그 선언문을 내가 작성하게 됐다. 다른 이유는 없었다. 우리 가운데 그나마 내가 다른 대학의 여러 선언문을 자주 접해서, 어떤 식으로 쓴다는 정도는 알고 있었기 때문이다. 물론 처음 써 보는 선언문이었다.

친구 집에서 등사기를 밀어 등사하는 방법(당시 유인물을 수(手)제작하는 통상적인 방법)으로 밤새 유인물을 4,000부가량 준비했다. 그 유인물을 다음 날 새벽, 아무도 모르게 모든 강의실에 뿌렸다.

정해진 시간이 되자 500~600명의 학생들이 교시탑 앞에 모였다. 이제 부학생회장단이 학생들을 이끌 순서였다. 어찌된 일인지 아무도 나타나지 않았다. 학생처 직원들이 학생들을 해산시키려 했다. 그때만 해도 경찰은 학내로 들어오지 못할 때였다. 참다못한 학생 몇 명이 연단 위로 올

3학년 가을, 학교에서 재단퇴진 농성이 있었다.

그걸 계기로 뜻이 맞는 친구들과 유신 반대 시위를 기획했다.

우리 팀이 선언문을 준비해서 배포하고 학생들을 교내 '교시탑'(校是塔) 앞까지

모으는 일을 맡았다.

라가 선언문을 읽으려 했으나, 학생처 직원들이 끌어내렸다. 그대로 두면 시위는 실패로 돌아갈 것 같았다.

할 수 없이 내가 올라가 선언문을 읽었다. 학생처 직원들이 몰려왔으나 학생들이 막아 줬다. 비가 내려 선언문이 젖었다. 그래도 내가 쓴 글이어서 문제없이 읽을 수 있었다. 그런 다음 학생들을 교문으로 이끌었다. 금세 학생들이 2,000여 명으로 불어났다.

교문을 사이에 두고 경찰과 대치하면서 최루탄과 투석(投石) 공방이 시작됐다. 경희대 입학 후 제대로 된 시위는 이때가 처음이었다.

우리는 시위가 본궤도에 오른 것을 확인한 후 학교를 빠져나와 며칠 동안 잠적했다. 경찰은 시위 현장에서 앞장선 몇 사람을 붙잡아 갔으나, 시위를 준비한 팀과의 연계성이 안 나오자 구류* 정도로 사건을 종결했다. 그때 잡혀가 고생한 학우 중 한 명이 민주당 국회의원인 정범구다. 그는 정치외교학과 4학년 졸업반으로 총학생회 간부였는데, 현장에서 앞장서다가 붙잡혀 갔다. 형사처벌은 구류로 끝났지만, 학교에서 무기정학 처분을 당해 졸업도 늦어지고 취업도 못해 고생을 많이 했다. 지나고 보니 그 고생이 그를 단련시켜 더 큰 인물로 만들어 준 것 같다.

나와 친구는 경찰의 사건 처리가 일단락된 후 학생과장의 주선으로 경찰에 자진 출두해 역시 구류로 끝냈다. 학생과장은 내가 비에 젖은 유인물을 읽는 모습을 보고 내가 작성자라는 것을 눈치챘다고 했다. 학교로부터는 아무 처벌도 받지 않았다. 그 일로 우리는 학내에서 일약 학생운동의 중심인물이 됐다. 그 후 우리는 각 단과대학별로 학생들을 이끌 만한 친구들을 규합해 학교 전체를 망라하는 조직을 갖췄다. 한편으로 사

회과학 서클을 만들어 저변을 넓혀 갔다. 시국은 터질 듯이 긴장이 높아져 가고 있었고, 우리는 그렇게 다음 해를 준비했다.

* **리영희 선생** 언론인 출신의 한양대 교수. 진보적 지식인의 상징. 수많은 저서를 통해 모든 금기를 깨뜨리고 당대의 진실을 전한 실천적 지성. 군사정권 시절, 4번 해직과 5차례 구속을 당함. 2010년 지병으로 타계. 장례는 민주사회장으로 치러졌고 광주 5·18 국립묘지에 영면

* 「**창작과 비평**」 1966년 1월에 창간된 계간 문예지로 민족문학의 산실. 70년대와 80년대에 민주화를 열망하던 지식인 사회의 통로 역할을 맡음

* **월남 패망** 남북으로 갈라져 전쟁을 치른 베트남에서 남베트남이 패망하고 현재 베트남으로 통일된 사건

* **문화대혁명** 1966년부터 1976년까지 10년간 중국의 최고지도자 마오쩌둥(毛澤東)에 의해 주도된 중국의 사회주의운동. 사회주의 계급투쟁을 강조하는 대중운동이었으나 중국은 일시에 경직된 사회로 전락. 마오쩌둥에 반대되는 세력은 모두 실각되거나 숙청. 마오쩌둥 사망 후 중국공산당은 문화대혁명을 '극좌적 오류'였다고 공식 평가

* **구류** 1일 이상 30일 미만의 기간 동안 교도소 또는 경찰서 유치장에 구치하는 형벌

구속, 그리고 어머니

1975년 새 학기가 시작될 때 대학가는 어느 학교라고 할 것 없이 유신 정권과 전면전을 벌여야 한다는 분위기가 넘쳐흘렀다. 1973년 하반기부터 시작된 대학생들의 반(反)유신 투쟁 열기가 재야와 기독교권, 그리고 언론 쪽의 자유언론 수호운동 등과 맞물리면서 최고조에 달한 느낌이었다. 베트남에서 독재 정권에 저항하는 승려들의 분신 소식이 이어졌다. 그런 투쟁까지 가야만 유신정권을 깨트릴 수 있을 것 아니냐는 말까지 나돌았다. 1975년 4월 서울대 농대 김상진 열사의 할복은 그런 분위기가 현실로 나타난 것이었다.

경희대에서는 마침 그해 4월 초, 오랜만에 실시되는 직선제 총학생회장 선거가 있었다. 그전까지는 대의원 간접선거였다. 우리는 총학생회를 장악해, 총학생회 주관으로 유신 반대 시위를 하기로 했다. 우리 쪽에서 후보를 내고 조직 역량을 총동원해 총학생회장을 당선시키기로 했다. 성공했다. 그때 당선된 총학생회장이 후일 민자당과 신한국당 사무총장을 지내고 한나라당 부총재까지 했던 강삼재 전 의원이다. 나는 총학생회

총무부장을 맡았다. 친구들도 이런 저런 간부를 맡았다. 그렇게 총학생회가 출범하자마자 총학생회 주도로 비상학생총회를 개최했다.

역시 시위 준비는 우리 팀이 맡고, 당일 비상총회와 시위는 총학생회장이 이끌기로 했다. 교내에서 총학생회 등사기로 밤새 유인물을 만들었다. 총학생회 명의의 시국선언문이었다. 다음 날 교문에 총학생회 이름으로 비상학생총회 소집 공고를 내걸었다. 유인물은 아예 교문에서 총학생회 간부들이 등교하는 학생들에게 내놓고 배포했다. 처벌을 각오했다. 직선제로 선출된 총학생회가 앞장서서 유신 반대 시위를 주도하자 엄청난 규모의 학생들이 운집했다. 학생처 집계로만 5,000명이 넘었던 것 같다. 경희대생 전체가 7,000~8,000명 규모일 때였다. 학생들이 다 모였는데 총학생회장이 오질 않았다. 학교로 오다가 경찰에 붙잡혀 예비 구금됐다고 했다. 총무부장인 내가 총학생회장 대행으로 비상학생총회를 개최했다. 시국토론을 하고 유신독재 화형식까지 한 후 대열을 이끌고 교문으로 향했다. 태극기를 들고 대열의 선두에 섰다. 경찰은 학교 앞을 봉쇄하고, 교문에 페퍼포그 차량 가스 발사구를 들이민 채 기다리고 있었다.

우리가 교문에 접근해 밀어붙이려 하자 경찰이 갑자기 페퍼포그를 발사했다. 최루탄도 일제히 쏴 댔다. 맨 앞에 있던 내가 페퍼포그 발사구에서 뿜어져 나온, 확산되기 전의 가스를 얼굴 정면에 맞았다. 순간 정신을 잃었다. 학우들이 후퇴하다가 내가 쓰러져 있는 것을 보고 되돌아와 나를 학교 안으로 옮겼다. 물수건으로 닦아 주고 돌봐 줘서 한참 만에 정신을 차렸다. 시위 분위기가 더 달아올랐다. 오후 늦게까지 정문과 후문을

오가며 격렬한 시위가 이어졌다.

오후 늦게 총학생회장이 경찰의 눈을 피해 겨우 도망쳤다며 맨발 차림으로 학교에 왔다. 그때부터 시위 마무리를 그에게 맡기고 쉴 수 있었다. 당시 학내 시위가 벌어지면 학교별로 주동자 3명 정도를 구속하는 것이 보통이었다. 나를 비롯해 구속될 3명을 확정하고 서로 말을 맞췄다. 경찰이 학내 진입을 못 할 때여서, 학교 주변을 지키며 주동자를 체포할 준비를 하고 있었다. 시위가 끝난 후 우리 발로 걸어가 체포됐다. 청량리경찰서 유치장에 구속·수감됐다. 처음부터 각오했던 일이었다.

구속과 동시에 학교에서도 제적됐다. 구류를 당한 학생들까지 포함해서 한꺼번에 16명이 제적됐다. 1980년에 가서야 복학이 이뤄졌다. 지금은 다들 잘 살지만, 오랫동안 그들에게 미안했다.

구치소로 넘어가기 전까지는 가족 면회를 시켜 주지 않을 때였다. 응당 그러려니 했고, 그것이 부당하다는 생각도 하지 못했다. 나는 집에 알리고 싶지도 않았다. 언젠가 알게 되겠지만, 가능한 한 늦게 알게 되기를 바랐다.

경찰에서 열흘가량 조사를 받고 검찰로 넘어갔다. 검찰로 이송되는 날 오랜만에 유치장 밖으로 나오니 눈이 부셨다. 호송차에 올라탔다. 100원짜리 동전만 한 구멍이 숭숭 뚫린 철판이 둘러쳐진 호송차였다. 오랜만에 보는 바깥 풍경이 궁금했다. 차 뒤편 구멍으로 밖을 내다봤다.

차가 막 출발하는 순간이었다. 어머니가 차 뒤를 따라 달려오고 있었다. 소리는 들리지 않았지만, 팔을 휘저으며 "재인아! 재인아!" 내 이름을 부르고 있었다. 호송차가 떠나면서, 어머니는 금방 멀어졌다. 시야에서

보이지 않을 때까지 멀어지는 호송차를 바라보고 있었다. 내 소식을 듣고 부산에서 급히 올라오신 모양이다. 면회를 안 시켜 주니 헛걸음을 하다가, 그날 검찰로 넘어간다는 말을 듣고 혹시 볼 수 있을까 하여 일찍부터 와서 기다렸고, 그러다가 호송차에 올라타는 내 모습을 멀리서 보고 달려오신 것이다.

나는 그것도 모른 채 차에 올라타느라 어머니와 눈도 맞추지 못했다. 마치 영화 장면 같은 그 순간이 지금까지도 뇌리에서 떠나지 않는다. 혼자서 어머니를 생각하면 늘 떠오르는 장면이다.

서대문 구치소에 수감되고 나니 오히려 마음이 편했다. 다만 고통스러운 건 부모님에 대한 죄송함이었다. 어려운 형편에 무리해서 대학까지 보내 주신 건데, 내가 그 기대를 저버렸다는 괴로움이었다. 어머니가 호송차 뒤를 따라 달려오던 장면을 뇌리에서 지울 수 없었다. 가끔씩 면회 오는 어머니를 뵙는데, 영 미안하고 괴로웠다. "옳은 일이라 하더라도 왜 하필 네가 그 일을 해야 했느냐?"라고 묻는 것 같았다. 할 말이 없었다. 아버지는 아예 면회를 오지 않으셨다.

아내와의 만남

구치소에 있을 때, 아내가 뜻밖의 면회를 왔다. 아내는 같은 대학교 음대생이었고, 나보다 2년 후배였다. 해마다 5월 초 '법의 날'에 맞춰 열리던 '법(法) 축전'이란 이름의 법대 축제에서 파트너로 처음 만났다. 내가 3학년, 아내는 1학년 갓 입학했을 때였다. 처음 만난 사이였는데도 축제 시간을 즐겁게 보냈다. 호감이 갔다. 그러나 이후 만남을 이어 가진 않았다. 내가 마음의 여유가 없었다. 교내에서 오가며 한 번씩 만나면 눈인사를 나누는 정도였다.

1975년 4월 시위 때 아내와의 인연이 이어졌다. 비상학생총회에서 시국토론을 할 때, 자원(自願) 발언이 끊길 경우, 분위기가 식지 않도록 나설 발언자를 몇 명 확보해 둘 필요가 있었다. 토론을 마무리할 마지막 발언자는 여학생이 좋겠다고 생각했다. 총회 개최 시간을 기다리며 여학생 발언자를 확보해 두려고 살피는데 마침 아내가 노천광장에 와 있었다. 같은 과(科) 과대표와 같이 있었다. 둘이 친한 친구 사이라고 했다. 둘 중 누구라도 좋으니 한 사람이 마무리 발언을 해달라고 부탁했다. 과대표가

나와서 발언했다. 그녀가 발언을 끝내며 '나가자!'라고 외쳤다. 그것으로 비상학생총회를 끝내고 행진에 들어갔다. 그 일로 그녀는 구류를 살았고, 학교에서 정학을 당했다.

비상학생총회 후 교문 앞까지 행진했다가 내가 페퍼포그를 맞아 실신했을 때, 한참 후 누군가 물수건으로 얼굴을 닦아 주는 것을 느끼며 정신을 차렸다. 눈을 떠 보니 아내였다. 시위 행렬에 있다가 앞장선 내가 걱정돼 지켜보고 있었던 모양이다.

그랬다가 면회를 온 것이다. 뜻밖의 일이었다. 구속됐다는 말을 듣고 걱정이 돼 와 봤다고 했다. 그런데 아내가 면회 시간 내내, 접은 신문을 품에 안고 있었다. 나에게 보여 주려고 가져온 것이었다. 내 모교인 경남고등학교가 무슨 대회인지 전국 야구대회에서 우승했다는 스포츠면 톱기사였다. 고교야구가 인기절정이던 시절이다. 야구를 대표 스포츠로 여기던 학교 출신이어서, 나는 그때 야구를 매우 좋아했다. 아내가 파트너를 했던 '법 축전' 때 학년대항 야구시합에서 내가 우리 학년 주장을 맡아 우승하기도 했다. 아내는 그런 일을 기억하고 있다가 내가 기뻐할 뉴스를 가져온 것이다. 세상에, 내가 아무리 야구를 좋아한들 구치소에 수감된 처지에 야구 소식에 무슨 관심이 있을까? 그래도 그런 생각을 한 아내가 귀여웠다. 감방에서 그 생각을 하면 웃음이 나곤 했다.

그런 일이 있고 나서 석방 후 아내와 더 가까워졌다. 그러나 곧 입대해야 했다. 아내는 이번엔 군대로 면회를 왔다. 제대 후 고시 공부를 할 땐 또 공부하는 곳으로 면회를 다녔다. 아내는 나와의 연애사(史)를 면회의

해마다 5월 초 '법의 날'에 맞춰 열리던
'법(法) 축전'이란 이름의 법대 축제에서 파트너로 처음 만났다.
내가 3학년, 아내는 1학년 갓 입학했을 때였다.
처음 만난 사이였는데도 축제 시간을 즐겁게 보냈다.
호감이 갔다.

역사라고 말하곤 했다. 나는 아내에게, 내가 경희대에 가게 된 건 오로지 아내를 만나기 위함인가 보다고 대답했다. 진심으로 한 말이었다.

구치소 수감 생활

서울 구치소 수감 생활은 견딜 만했다. 잘 지낸 편이었다. 원래 시국 사범은 노란딱지 요(要)시찰이어서 독방(獨房)에 수감된다. 그때는 시국 사범이 넘쳐서 일반 사범 방에 수용했다. 한 방에 8명 정도였다. 어떤 사람들은 독방이 좋다고 했는데, 나는 일반 사범과 함께 있는 혼거(混居)방이 좋았다. 세상 공부, 인생 공부가 됐다.

옆방에 한승헌 변호사가 계셨다. 잡지에 쓴 '어떤 조사(弔辭)'라는 글로 필화(筆禍)를 당해 반공법 위반으로 구속됐을 때였다. 내가 옆방에 수감되자 교도관을 통해 러닝셔츠와 팬티 한 벌씩을 보내 주셨다. 아무 준비가 없던 때여서 큰 도움이 됐다. 그러리라고 예상하고 마음을 써 주신 거였다.

나중에 다시 인권 변호사 하실 때, 같은 변호사로 만났다. 대우조선 사건으로 노무현·이상수 변호사가 구속됐을 때 공동변호인이 되기도 했다. 서울 구치소 시절을 말씀드리니 기억을 하셨다. 그때 서울 구치소엔 한 변호사 외에도 박형규 목사, 김관석 목사, 김지하 시인 등 쟁쟁한 재

야인사들이 많았다. 동아일보에서 자유언론 운동을 하다 해고된 '동아투위' 해직기자들도 있었다. 내가 구속된 지 3주쯤 후, 4월 말 무렵에 긴급조치9호가 발동됐다. 관련 위반사범이 쏟아져 들어왔다. 누군가 면회를 오면 면회 전후의 대기 시간에 그분들을 만나서 인사드리고 소식 나누는 게 즐거움이었다.

감방에선 재소자를 속칭 돈 많은 '범(虎)털'과 돈 없는 '개(犬)털'로 나눈다. '범털'과 '개털'은 징역살이가 다르다. 세상에서 감옥만큼 돈이 적나라하게 위력을 발휘하는 곳도 없다. 우리 방은 '범털'과 '개털'이 반반쯤 돼 형편이 괜찮은 편이었다. '범털 방'과 '개털 방'은 아침에 허용하는 세면 시간도 달랐다.

같은 방 사람들은 모두 나를 '학생'이라고 부르며 잘 대해 줬다. 나도 명색이 법대 4학년이고 사법고시 1차 시험에 합격한 경력이 있어서, 재소자들이 탄원서나 진정서를 쓸 때면 도움을 줬다. 그러자 다른 감방 사람들까지 도움을 청하곤 했다.

감방 생활 중 잊히지 않는 일이 있다. 그때 구치소 주변엔 비둘기가 많았다. 수감된 사동(舍棟) 앞마당에 비둘기가 떼로 내려앉곤 했다. 심심할 때 내려다보면 구경거리였다. 남긴 밥을 비둘기에게 던져 주는 사람도 있었다. 우리 방은 여유가 좀 있어서 '사식'(私食)을 사 먹는 사람이 많았다. 간식도 많이 사 먹었다. 간식이래야 건빵이었는데, 마가린에 달걀노른자를 버무려서 크림처럼 만든 것에 찍어 먹으면 먹을 만했다. 자연히 식사 때마다 구치소에서 주는 '관식'(官食)이 꽤 남았다. 내가 그걸 모아서 비둘기에게 던져 줬다.

그게 계속되자, 비둘기들은 시간이 되면 우리 방 근처로 모여들어 밥을 기다리곤 했다. 그런데 내가 밥을 던져 줄 때마다 건너편 소년수 감방의 소년수들이 창가에 모여 비둘기들이 서로 다투며 밥을 받아먹는 광경을 구경했다. 나는 처음에 그들이 재미삼아 그 광경을 구경하는 줄 알았다. 그게 아니었다. 재미로 구경하는 것이 아니었다. 비둘기에게 던져 주는 밥덩이가 아깝고 먹고 싶어서 그렇게 보는 것이라고 누군가 알려 줬다. 깜짝 놀랐다. 그런 줄도 모르고 비둘기에게 남는 밥을 던져 주면서 좋아했던 내가 정말로 부끄럽고 미안했다. 소년수들은 모두 '개털'이어서 '관식' 말고는 먹을 게 없었다. 그러니 늘 배가 고플 수밖에 없었다. 그 후부터는 감방 동료들의 협조를 받아 관식을 한 두 덩이 손대지 않고 통째로 남겨 소년수 감방으로 보내 줬다.

'필요는 발명의 어머니'라는 말을 절감한 것도 그곳이다. 구치소 감방이란 게 마룻바닥에 벽만 있는 곳이다. 그런데 그 작은 공간에서 못 만드는 게 없었다. 빵 봉지에 들어 있는 작은 상표지(紙) 뒷면을 모아 벽지를 바르고, 비닐 빵 봉지로 빨래 끈을 만들어 달았다. 칫솔대를 갈아서 칼도 만들어 썼다. 바둑판과 바둑알, 장기판과 장기알도 만들어 바둑이나 장기도 뒀다. 밥알을 짓이겨 바둑돌을 만들었는데, 먹지의 먹물을 입히면 검은 돌이 됐다. 그렇게 만든 바둑알과 장기알이 어찌나 단단한지 놀랄 정도였다.

선고(宣告)일이 다가오자 그들은 석방을 기원하면서 내게 줄 선물을 만들기 시작했다. 두세 사람이 며칠 동안 뭔가를 열심히 만들었다. 구경을 해 보니, 비닐 빵 봉지를 새끼처럼 꼰 다음 손으로 마찰열을 가하면

서 잡아당겨 비닐 끈을 만들었다. 빵 봉지 무늬색깔에 따라 빨간색 끈도 되고 연두색 끈도 되는 게 희한했다. 끈 굵기는, 잡아당기는 정도에 따라 조절했다. 그렇게 만든 굵고 가는 여러 색깔의 비닐 끈을 엮어, 예쁜 꽃 항아리를 만들어 내게 선물했다. 세상에 억울한 사람이 많으니 판·검사가 되면 잊지 말라면서. 또 책상에 놓아 두고 어려웠을 때를 늘 생각하라면서.

재판에서 나는 징역 2년을 구형받았다. 한승헌 변호사가 유머 있게 풍자했듯 이 당시 선고 형량은 '정찰제'(正札制)라고 할 만큼 일률적이었다. 그때는 또 거의 무조건 실형이 선고될 때였다. 그런데 판사가 징역 10월의 집행유예*를 선고했다. 그때 여러 대학 중에서 집행유예를 선고받은 것은 우리밖에 없었다. 판사가 소신 판결을 내린 것이다. 아니나 다를까, 그분은 얼마 후 판사 재임용에서 탈락했다. 시국 사건 소신 판결이 이유였을 것으로 짐작들을 했다.

나중에 사법시험에 합격한 후 내가 수사를 받은 서울 북부지청에서 검사 시보를, 재판을 받은 서울 북부지원에서 판사 시보를 했다. 그것도 기이한 인연이었다.

* **집행유예** 단기(短期)의 자유형(自由刑)을 선고할 때 정상을 참작해 일정 기간 형의 집행을 유예하는 제도. 따라서 집행유예가 선고되면 석방됨

강제징집

석방된 지 얼마 안 돼 입영 영장이 나왔다. 신체검사도 안 받은 상태였다. 신체검사 통지서와 입영통지서가 함께 날아왔다. 입영 전날 신체검사를 받고 다음 날 입영하는 일정이었다. 강제징집이었다.

부당한 일이 또 있었다. 검사가 우리의 집행유예 판결에 불복해 항소했다. 나는 그 사실도 모른 채 입대했다. 나와 공범이었던 친구는 서울에 살고 있었는데, 검사의 항소 때문에 입영이 연기됐다. 항소심에서 검사의 항소는 기각됐다. 나는 그런 일이 있었는지도 몰랐다. 나중에 '민주화운동 관련자 명예회복 및 보상 심의위원회'에 신청할 때 자료를 봤는데, 나에 대한 항소 역시 기각 판결이 나 있었다. 나는 군대에 가 있었는데, 모르는 사이에 나 없이 항소심 재판을 한 셈이다. 내가 군대에 가 있으니, 재판을 꼭 하려면 군사재판으로 사건을 이송하거나 검사가 항소를 취하해야 했는데, 그냥 항소 기각을 선고해 버린 것이다. 결과적으로 피해는 없었지만 당시 법원이나 검찰이 하는 일이 그랬다.

신체검사는 나 혼자 부산국군통합병원에서 요즘 건강진단 받듯 이리

저리 다니면서 받았다. 시력검사 때였다. 어쩌는지 반응을 보려고 일부러 모두 안 보인다고 해 봤다. 그러자 검사관은 씩 웃더니 정밀검사를 하지도 않고 "그래도 갑종*!" 하면서 신검용지에 '갑종' 도장을 꽉 찍었다. 그러곤 준비돼 있던 입영영장을 다시 내줬다. 원래 날짜보다 1주일 연기된 영장이었다.

부모님께 이미 큰절 올리고 떠나온 터여서 그 길로 경남 하동 갈사리, 선배가 야학을 하고 있는 곳으로 갔다. 당시엔 아주 외진 곳이었는데 중학교에 진학하지 못한 아이들을 가르치는 야학이었다. 밤에 초등학교 교실을 빌려 수업을 했다. 나이가 다양한 아이들이 교실 하나에 가득 찼다.

인상적이었던 것은 아이들이 학교에 오면서 시멘트 포대를 하나씩 들고 오는 것이다. 갈사리는 원래 섬진강 하구의 섬이었다가 둑을 쌓아 육지와 연결한 곳이었다. 둑으로 막힌 곳에 강물이 고여 있어서 모기가 엄청나게 많았다. 모기가 그렇게 많은 곳은 처음 봤다. 1m^3당 100마리라고 표현했을 정도였다. 밤에 학교 운동장에 서 있으면 모기떼가 금방 천지사방에서 모여들었다. 아이들은 시멘트 포대로 하반신을 덮고 수업했다. 모기가 옷을 뚫고 물기 때문이었다.

그렇게까지 하면서 밤늦도록 공부하는 아이들을 보면 마음이 숙연해졌다. 그 아이들에 비하면 나는 혜택받은 사람이었다. 그 아이들이 중학교 진학을 못 한 것은 가난 탓도 있지만 학교가 너무 먼 이유도 있었다. 그때 갈사리가 속해 있는 금남면 전체에 중학교가 하나밖에 없었다. 선배가 언제까지 야학을 할 수 있을지, 선배가 야학을 그만두면 이 아이들은 또 어떻게 할지 답답한 일이었다.

그때 그곳으로 갔던 것은, 학생운동을 같이 한 친구 몇 명과 함께 농촌활동을 하면서 야학교실이라도 하나 지어 주자고 의논됐기 때문이다. 나는 며칠밖에 있을 수가 없어서 낮에는 농촌활동, 밤에는 아이들 수업을 돕기도 하고 놀기도 하다가 입대를 위해 그곳을 떠났다. 아내도 그곳에 함께 갔다가 나와 함께 떠나 훈련소 문 앞까지 동행해 줬다.

갈사리는 원래 김 양식으로 유명했다. 옛날에 알아줬던 '하동 김' 산지가 그곳이었다. 광양제철소 건설을 위해 광양만을 매립할 때 토사가 흘러와 김 양식장이 거의 폐사했다. 어민들이 손해배상청구 소송을 해야 할 일이었다. 나중에 내가 변호사 할 때 상담을 해 줬다. 거리가 멀어서 소송을 직접 돕진 못했지만 나중에 승소했다는 말을 들었다. 근래 거기에 조선단지 조성이 추진됐는데 지금은 어떻게 변했는지 궁금하다.

입대한 훈련소는 향토사단이라는 창원 39사단이었다. 1975년 8월 초였다. 함께 입대한 사람들은 모두 하동 지역의 장정*들이었다. 나와 똑같은 케이스의 강제징집자 네 명이 끼어 있었다.

군 복무는 당연한 일로 생각하고 있었다. 게다가 복학이 언제 될지도 모르니 오히려 잘됐다고 생각했다. 전혀 겪어 보지 못한 낯선 생활이어서 긴장됐지만 적응할 수 있었다. 훈련소에서는 선임 분대장을 했다. 논산 훈련소에서는 향도라고 불렸다. 대학 다니다 왔고 나이도 많은 편이어서 지명된 것이다. 나는 대학 4학년까지 입영이 연기되다 입대했기 때문에 훈련소 동기들보다 나이가 두어 살 많았다. 나이를 따지는 문화가 남아 있어서 우리 소대원들은 나를 형처럼 대했다.

더위와 땀 이외엔 훈련소 생활에 큰 어려움은 없었다. 화생방 훈련 때

최루탄을 자욱하게 터뜨려 놓은 대형 천막 안에 들어가 방독면을 착용한 다음 일정 시간 견디는 훈련이 있었다. 원래 훈련 과정이 그런지, 조교가 골탕을 먹이려고 그랬는지 모르지만 마지막에 방독면을 벗고 군가를 합창하게 했다. 다들 토하기도 하고 고통스러워했는데 나는 그것이 견딜 만해서 신기했다. 데모하면서 최루탄에 단련된 덕분일 거라 생각했다.

6주간의 훈련소 생활에서 가장 기억에 남는 것은 수료 직전에 있었던 '소원 수리'*다. 군대 갔다 온 아들에게 들어 보니 요즘도 그 제도가 있다고 한다. 훈련병들이 훈련을 마칠 때 하는 것인데, 훈련소에서 겪었던 고충이나 애로사항을 적어 내게 하고 그것을 바탕으로 병영을 개선해 나간다는 취지였다. 조교나 기간병들의 구타, 기합, 각종 비리 등이 주 대상이었다.

구타는 그때도 근절대상이었다. 적발을 위해 상급부대에서 불시에 들이닥쳐 훈련병들의 엉덩이에 '빠따'* 맞은 자국이 있는지 확인하기도 했다. 그래서 내가 훈련병 때는 조교가 '빠따'를 엉덩이에 치지 않고 발바닥에 쳤다. 발바닥 '빠따'는 엉덩이보다 몇 배로 아팠다. 나는 선임 분대장이었기 때문에 소대 훈련병들이 잘못할 때마다 대표로 맞았다. 그래서 발바닥을 꽤 여러 번 맞았다.

소원 수리를 앞두고 조교들은 "소원 수리에 적어 내는 놈은 필적 조사해서 가만두지 않는다!"라며 겁을 줬다. 드디어 수료를 2~3일 앞두고 상급부대에서 '소원 수리'가 나왔다. 조교나 기간병들은 일체 가까이 오지 못하도록 내쫓고는 종이를 나눠 준 후 고충이나 개선을 바라는 사항, 보거나 겪은 구타나 비리 등을 적어 내라고 했다. 다들 머뭇거리자 "여러분

들은 훈련소 생활이 끝났지만 고쳐야 할 사항을 적어 줘야 후배들이 같은 고충을 겪지 않고 우리 군이 더 좋은 군대로 발전할 수 있다"면서 진지하게 설득했다.

기간병이 상황을 살피러 기웃거리자 크게 야단쳐서 내쫓기도 했다. "무기명이니까 일체 불이익이 없다"고 했다. "조교들이 겁을 줬을 테지만 그들은 소원 수리 내용을 전혀 볼 수 없으니 염려 말라"고도 했다. 그 분위기에 넘어가 결국 대부분의 훈련병들이 적기 시작했다. 사실 솔직하게 쓰자면 몇 장을 써도 모자랄 시절이었다.

그런데 그들이 돌아가자마자 조교들이 우리가 써 낸 종이를 들고 들이닥쳤다. 가짜 소원 수리였던 것이다. 남은 일과 시간 내내 기합을 받았다. 심각한 내용을 쓴 작성자를 색출한다며 공포 분위기를 조성했다. 다음 날 다시 '소원 수리'가 나왔다. 똑같은 분위기에 똑같은 말을 했다. 이번에는 속지 않고 아무도 써 내지 않았다. 알고 보니 그것이 진짜 소원 수리였다. 그 좋은 취지의 소원 수리를 따돌리는 수법이 어찌나 교묘한지, 글 쓰는 재주가 있다면 그걸 소재로 단편소설이라도 쓰고 싶을 정도였다.

훈련소 퇴소 때, 훈련병들을 모두 연병장에 모아 놓고 군장을 꾸리게 한 후 배치될 부대를 차례로 발표했다. '문재인, 특전사령부!'라고 발표됐다. 다들 특전사령부가 어디에 있는지 뭐하는 곳인지 몰랐다.

중학교 동기가 당시 사단 인사처 고참 병장으로 있었다. 39사단에서 훈련받은 친구들 가운데 그 친구 '빽'으로 의무병 등 편한 곳으로 빠진 친구들이 여럿 있었다. 그 친구가 찾아와서 "강제징집자 다섯 명은 '신원 특이자'로서 인사기록카드를 특별히 관리하고 있어서 좋은 곳으로 보내 줄

수가 없었다"고 내게 미안해했다. 그리고 "과거에는 데모하다 끌려온 학생들을 보안사 같은 곳에 배치해 활용했는데, 요즘은 고생시키는 쪽으로 방침이 바뀌었다"고 일러줬다. 그 친구도 특전사가 공수부대란 말은 해주지 않고 수도경비사령부(수경사)나 수도방위사령부(수방사)처럼 서울에 있는 특별사령부라고 얼버무렸다. 다른 강제징집자 네 명도 기갑부대나 전방부대 등 못지 않게 힘든 곳으로 배치됐다.

특전사가 공수부대라는 걸 알게 된 것은 용산으로 가는 군용열차가 삼랑진을 지날 무렵이었다. 훈련병들이 마지막으로 함께 있는 시간이라고, 군용열차 안에서 술을 마음껏 마실 수 있도록 허용해 줬다. 힘든 부대에 배치되는 사람에게는 훈련병들끼리 술을 더 권했다. 내게 동기들의 위로주가 계속 몰렸다.

* **갑종** 징병 검사에서 정하는 신체 등급의 최상위 등급

* **장정** 병역소집 대상의 남자

* **소원 수리** 군대에서 병사들의 고민이나 불편한 점 등을 알아보기 위해 의견을 묻는 것

* **빠따** 골프 퍼터나 야구 배트의 일본식 발음. 통상 몽둥이나 각목으로 엉덩이 등에 가하는 체벌을 말함

공수부대

특전사령부 예하 제1공수 특전여단 제3대대에 배치됐다. 자대*로 바로 가지 않고 4주간의 공수 훈련과 6주간의 특수전 훈련, 2주간의 여단 전입훈련을 다 거친 다음에야 자대에 배속됐다. 관등성명부터 외게 했는데 '여단장 준장 전두환', '대대장 중령 장세동'이었다. 훗날 대통령이 된 전두환의 경호실장까지 한 장세동 대대장은 내가 후반기 훈련을 마치고 돌아간 사이에 바뀌어 함께 근무해 보지 못했다. 얘기만 들었는데, 군인으로서의 평판은 매우 좋았다. 5공화국 당시 장세동 씨 후임으로 청와대 경호실장을 했던 안현태 씨가 바로 옆 대대 대대장이었다.

특수전 훈련 때 폭파 주특기를 부여받았다. 나는 공수병이자 폭파병이 됐다. 6주간의 특수전 훈련을 마칠 때 정병주 특전사령관으로부터 폭파 과정 최우수 표창을 받았다. 정 사령관은 나중 12·12 신군부 쿠데타* 때 끝까지 저항하다가 반란군의 총에 맞아 참군인의 표상이 된 인물이다. 전두환 여단장은 그 쿠데타를 이끌고 성공해 대통령까지 됐다. 관등성명을 외웠던 두 직속상관의 운명이 그렇게 극적으로 엇갈렸다.

낙하산이 펼쳐져서 공중에 떠 있는 동안엔 정말 황홀했다.
그 기분이 너무 좋아서 긴장이나 두려움을 얼마든지 감수할 수 있었다.
패러글라이딩을 하는 사람들도 그런 기분 때문에
무거운 장비를 메고 높이 올라가는 고생을 감수하지 않나 싶다.

사실 폭파 과정 최우수 표창은 별것 아니었다. 어떤 시설을 폭파하려면 어느 부분에 어떤 폭약을 얼마만큼 설치해야 하는지 계산하고, 비정규전에 대비해 화공약품을 배합해 사제 폭약 만드는 법을 익히는 등 공부에 해당하는 것이 8할이었다. 그러니 동기들 가운데 '가방끈'이 제일 긴 내가 잘하는 건 당연했다. 자대로 돌아온 후 전두환 여단장으로부터 화생방 최우수 표창을 받은 일도 있었다. 어쨌든 그 덕분에 나는 자대에 첫발을 디딜 때부터 단연 A급 사병이 돼 있었다. 여단 본부에서 나를 빼가려 하고 대대에서는 붙잡아 두려는 줄다리기가 벌어지기도 했다.

나는 학교 다닐 때 개근상 말고는 상을 받아 보지 못했다. 오히려 정학을 당했고 대학에서는 급기야 제적되고 구속됐다. 그런데 군대에 가 보니 군대가 요구하는 기능을 상당히 잘 해내는 편이었다. 사격, 수류탄 던지기, 전투 수영 등 생전 처음 하는 일을 내가 잘하는 것이 스스로도 신기했다.

딱 하나 힘든 게 무장구보였다. 공수부대 무장구보는 보병부대와는 다르다. 당시 육군 'FM'*은 12킬로그램 군장에 10킬로미터를 61분 안에 뛰는 것이다. 반면 공수부대는 정예 강군이라고 해서 20킬로그램 군장에 10킬로미터를 57분에 주파해야 했다. 출발선에 저울을 두고, 출발과 도착 때 무게를 재곤 했다. 영내 생활을 할 동안에는 무장구보가 매주 있었다. 무장구보만큼은 힘들었다. 고참이 되고는 약간 요령을 부리기도 했다. 빈 사물함을 배낭에 넣어 빵빵하게 보이도록 하고는 출발할 때와 도착할 때만 그 속에 돌을 채우는 방법이었다. 무장구보만 어찌어찌 넘기면 나머지 교육훈련은 할 만했다.

점프(공중낙하)도 공수 훈련은 무척 힘들었지만, 그 후 자대에서 하는 점프는 할 만했다. 부대 안에서 사역을 하느니 점프 나가는 게 더 좋았다. 공수 훈련 마지막에 네 번의 점프가 있었다. 첫 두 번은 보통점프, 세 번째가 야간점프, 네 번째가 무장점프였다. 첫 점프 나가기 전날 혹시 사고가 날 경우 부모님이나 가족에게 남길 글을 머리카락, 손톱과 함께 봉투에 넣게 했다. 수송기를 타기 전에 군목(軍牧)이 기도도 해 줬다. 내가 훈련받을 때 군목은 기도뿐 아니라 자신이 훈련병들보다 먼저 1번으로 점프를 하기도 했다. 멋있는 사람이었다. 그 첫 점프 때 동기 한 명이 낙하산이 펴지지 않아 땅에 떨어져 사망한 사고가 있었다.

나는 그때 먼저 낙하를 마치고 지상에 있었기 때문에 그 사고를 생생히 목격했다. 지상에 있던 우리가 올려다보면서 보조 낙하산을 펴라고 소리쳤지만 그는 끝내 보조 낙하산을 펴지 못한 채 사고를 당하고 말았다. 두 번째 낙하 때는 장교 한 명이 뇌진탕으로 후송되기도 했다. 그런 일을 겪었기 때문에 공중낙하를 나가면 늘 긴장됐다. 수송기나 헬기에서 뛰어 나갈 때는 겁도 났다. 또 땅에 도착할 때 많이 다치기 때문에 그때도 긴장된다.

그렇지만 낙하산이 펼쳐져서 공중에 떠 있는 동안엔 정말 황홀했다. 그 기분이 너무 좋아서 긴장이나 두려움을 얼마든지 감수할 수 있었다. 패러글라이딩을 하는 사람들도 그런 기분 때문에 무거운 장비를 메고 높이 올라가는 고생을 감수하지 않나 싶다.

옛날 군대 얘기라 요즘은 달라졌을지 모르겠다. 미군과 '독수리 훈련'이나 '팀스피리트 훈련'을 합동으로 하곤 했다. 점프도 함께 할 때가 있었

는데, 미군들이 하는 모습을 보면 마치 스포츠 하듯 편하게 했다.

낙하산도, 수송기 안에서 낙하 지역 '5분 전' 신호가 나오면 그때 비로소 착용했다. 수송기 안에서도 편하게 기다렸다. 반면 우리는 수송기 타기 전에 미리 낙하산을 착용하고 안전검사를 받았다. 수송기 안에서도 시종 차렷 자세로 옆사람과 대화도 나누지 못했다. 그러니 잔뜩 긴장된 가운데 점프하다 오히려 사고가 더 많이 났다.

공수부대는 연중 절반을 영외에서 야영훈련으로 보낸다. 그중 하이라이트가 천리(1,000里)행군이다. 400킬로미터 이상을 행군하는 훈련이다. 지리산이나 문경새재 같은 곳에서 한 달가량 야영훈련을 한 후 9일 동안 야간을 이용해 400킬로미터 이상 산길로 부대까지 걸어서 돌아오는 강행군이다. 천막과 침낭, 식량 등이 잔뜩 든 무거운 배낭을 메고 매일 야간에 40~50킬로미터씩 산길을 걷는 매우 힘든 과정이었다. 다들 공수부대에서 가장 고된 훈련이라고 했다. 그러나 나는 영내에 있는 것보다 야영훈련이 좋았고 또 산길을 걷는 것이 좋았다. 다들 고되다는 천리행군조차 좋았다. 내가 가 보지 못한 산과 강 그리고 마을을 보는 즐거움도 있었다.

매년 2주씩 바다에서 수중 침투 훈련을 했다. 수영 실력에 따라 조를 나눠 초급 수영부터 스쿠버 훈련에 이르기까지 단계별 훈련을 했다. 나는 부산 출신이라 수영을 좀 하는 편이었다. 첫해에 바로 인명구조원 훈련을 받고 대한적십자사로부터 고급 인명구조원 자격도 취득했다. 이틀간 자격시험을 쳤는데 첫날은 물에 빠진 사람을 구조하는 상황별 요령을 실연하는 것이었다. 둘째 날은 2마일(3.2킬로미터)을 헤엄쳐 가는 원거리

수 료 증

주 소 부산시 영도구 영선 2가 110

성 명 문 재 언

생년월일 1952 년 1 월 24 일생

이 사람은 본사의 고급인명구조원 강습과정을 수료하였음을 증명함

1976 년 7 월 16 일

대 한 적 십 자 사

매년 2주씩 바다에서 수중 침투 훈련을 했다.

첫해에 바로 인명구조원 훈련을 받고 대한적십자사로부터

고급 인명구조원 자격도 취득했다.

수영이었다. 헤엄치는 방법은 마음대로였다. 바깥 사회에서는 아예 엄두도 못 낼 일이다. 그것도 군대니까 해냈다. 성공한 후 헤엄친 거리를 뒤돌아보니 역시 혼자서는 못 할 것 같았다.

다음 해는 기초 스쿠버 훈련을 받았다. 공기통을 메기 전에 20킬로그램 모래주머니를 안고 헤엄치기, 맨 몸에 12킬로그램 납 벨트를 허리에 차고 헤엄치기 같은 훈련이 있었다. 역시 처음 해 보는 일이라 겁났지만 막상 해 보니 물은 좀 먹었어도 어떻게든 해내게 되는 것이 신기했다.

전투수영이라는 것도 있었다. 군화 신고 탄띠에 총까지 어깨에 메는 단독군장 상태로 헤엄치는 것이다. 그 상태로 고무보트를 타고 침투해 들어가다가 헤드라이트를 비추면 그 즉시 보트를 뒤집어 들키지 않게 하고 헤드라이트가 지나가면 다시 보트를 바로 해서 올라타는 훈련이었다.

아내가 몇 번 면회를 왔다. 제1공수여단에 배치된 후 처음 온 면회는 평생 잊지 못할 것이다. 그 시절 군대 면회는 무조건 먹을 것을 잔뜩 준비해 오는 것이었다. 아무리 가난한 어머니의 면회라도 통닭은 기본이었다. 그런데 아내는 먹을 건 하나도 가져오지 않고 안개꽃만 한 아름 들고 왔다. 아무리 오빠가 없어도 그렇지, 정말 세상물정 모르는 아가씨였다. 면회소에서 아무것도 팔지 않을 때이니, 꽃을 가운데 놓고 얘기만 나누다 돌아왔다. 나도 우스웠지만 음식 대신 꽃을 들고 내무반으로 돌아온 걸 본 동료들이 배꼽을 잡고 웃었다. 아마 대한민국 군대에 이등병 면회 가면서 음식 대신 꽃을 들고 간 사람은 아내밖에 없을 것이다. 그래도 그 꽃을 여러 내무반에 나누어 꽂아 줬더니 다들 좋아했다. 안개꽃이라 오래갔다. 공수부대 내무반에 꽃이 꽂힌 것도 유례없는 일이었을 것이다.

많은 세월이 흐른 후 아들이 군복무를 할 때 아내와 함께 면회를 갔다. 청와대 민정수석 시절이었는데, 부대 상급자들이 나를 알지 못하도록 각별히 신경 써서 면회를 했다. 옛날처럼 음식을 싸 가지고 면회 온 사람도 있었지만, 면회소에서 피자나 탕수육 같은 것을 배달시켜 먹을 수도 있었다. 그런 탓에 빈손으로 면회 온 사람들이 더 많았다. 면회소 벽에 배달 음식점 전화번호가 잔뜩 붙어 있었다. 우리도 과일만 준비해 갔고, 아들이 원하는 대로 피자를 시켜 먹었다. 참으로 격세지감이 느껴졌다.

상병 때 '판문점 도끼 만행 사건'*이 일어났다. 그 사건에 대한 대응으로 미루나무를 자르는 작전을 우리 부대가 맡았다. 한국전쟁 이후 처음으로 데프콘이 상향됐다. 준(準)전시태세였다. 나무를 자를 때 북한이 제지하거나 충돌이 일어나면 바로 전쟁이 발발하는 상황이었다. 그런 상황까지 대비해 부대 내 최정예 요원들이 미루나무 제거조로 투입되고 나머지 병력은 외곽에 배치됐다. 더 외곽엔 전방사단이 배치됐다. 다행히 북한은 미루나무 자르는 것을 못 본 척 아무 대응을 하지 않았다. 작전이 무사히 완료됐다. 그때 잘라 온 미루나무 토막을 넣은 기념물을 '국난(國難) 극복 기장(紀章)'이라고 하나씩 나눠 줬다.

야영 훈련을 하지 않고 영내에 있을 때엔 폭동 진압 훈련도 했다. 제1공수여단은 육군본부 직할이고 서울의 위수부대였다. 모든 장병에게 폭동진압봉을 기본장비로 지급했다. 폭동 진압 훈련 과정 중에 한 번씩 시범훈련을 하기도 했다. 가상의 폭동조를 만들어 시위 같은 것을 하게 하고 공수부대의 진압으로 폭동이 궤멸되는 시나리오였다. 가상의 폭동조는 진압조와 식별이 되도록 운동복을 입혔다. "야, 문재인! 너 데모

많은 세월이 흐른 후 아들이 군복무를 할 때 아내와 함께 면회를 갔다.
옛날처럼 음식을 싸 가지고 면회 온 사람도 있었지만,
면회소에서 피자나 탕수육 같은 것을 배달시켜 먹을 수도 있었다.
그런 탓에 빈손으로 면회 온 사람들이 더 많았다.
참으로 격세지감이 느껴졌다.

많이 했지? 네가 폭동조장 맡아"라고 해서 폭동조장을 하기도 했다. 총에 착검까지 한 상태로 대열이 앞으로 전진하면서 구령에 맞춰 일제히 '찔러 총' 동작을 하는 폭동 진압 훈련은 보기에도 섬뜩했다.

그래도 내가 복무할 동안은 훈련만 했을 뿐 실제로 폭동 진압에 출동한 일은 없었다. 제대 후 부마민주항쟁*이 일어났을 때 내가 근무하던 제1공수여단 제3대대가 부산에 투입됐다. 내 조수였던 후임병도 그때 부산에 왔다. 광주항쟁 때는 다른 공수여단이 진압군으로 투입됐다. 폭동 진압은 아니지만 12·12 군사 쿠데타 때는 정병주 사령관에게 항명하고 반란군 주력부대로 투입되기도 했다. 군복무를 좀 더 늦게 했다면 나도 역사를 거스르고 국민을 향해 총을 겨누는 역할에 동원됐을지도 모를 일이다.

어쨌든 무사히 제대했다. 공수부대 복무 중에 특히 공중낙하를 하다가 허리나 다리를 다치는 사고가 종종 일어났다. 공수부대 전입동기들 가운데엔 도중에 다쳐서 보병부대로 전출 간 친구들이 몇 명 있었다. 나는 운이 좋았다. 다들 나보고 군대 체질, 공수부대 체질이라며 말뚝 박으라고 농담을 했다. 대학 3학년 때까지 교련을 한 혜택으로, 동기들보다 3개월 먼저 제대했다. 후임병들이 폭동진압봉을 가져와서는, 내가 한 번도 '빠따'를 친 적이 없으니 '기념 빠따'를 한 대씩만 쳐 달라고 했다. 한 대씩 기념으로 때려 준 것 같기도 하고 그냥 웃어넘긴 것 같기도 하고, 기억이 가물가물하다.

육군병장 문 병장, 공수병장 문 병장으로 제대 신고를 했다. 동기들과 후임병들이 도열해서 배웅해 주는 것을 뒤로하고 부대 정문을 나섰다. 아내가 정문 밖에서 기다리고 있었다. 1978년 2월, 입대한 지 약 31개월

만이었다. 그러고 보면 아내는 그 긴 기간 동안 고무신 거꾸로 신지 않고, 입대와 제대를 함께 한 셈이었다.

얼마 전 인터넷에 내 군대 시절 사진이 올라온 걸 봤다. 함께 군(軍)생활 했던 동기가 우리 사진을 딸에게 줘 인터넷에 올라가게 된 모양이다. 수소문해 그 동기와 실로 오랜만에 통화를 했다. 지금도 공수부대 동기나 후배들을 가끔 만나 그 시절 얘기를 나누곤 한다. 여자들이 제일 싫어한다는 군대 이야기, 군대에서의 축구 이야기 등을 주로 한다. 사실 군대 이야기를 쓰자면 책을 한 권 쓸 수도 있을 것 같다.

제대 후 한동안 꾼 꿈이 '다시 군대에 가는 꿈'이었다. 그냥 군대 생활 꿈이 아니라, 꿈속에서도 분명히 제대했는데 제대가 취소되든지 해서 다시 군대에 가게 되는 내용이었다. 알고 보니 나만 그런 게 아니었다. 군대 갔다 온 사람들 대부분이 공통적으로 꾸는 꿈이었다. 의무 복무한 대한민국 남자들에게 군대란 그런 게 아닐까 싶다. 아무리 군대에서 잘나갔니, 재미있었니 해도 더 하라면 피하고 싶을 것이다.

그래도 나는 군대 경험이 제대 후 내 삶에 큰 도움이 됐다고 생각한다. 입대 후 많은 일은 생전 처음 해 보는 것이었지만, 막상 해 보니 다 해낼 수 있더라는 경험. 그것이 나를 훨씬 긍정적이고 낙관적인 사람으로 만들었다. 변호사를 할 때나 청와대에 있을 때 처음 겪는 일이 많았다. 내 개인적으로 처음일 뿐 아니라 참고할 만한 선례가 없을 때도 많았다. 스스로의 판단으로 부딪쳐 가야 했는데, 그럴 때 그런 마음가짐이 큰 도움이 됐다.

그런 경험 때문에, 나는 지금과 같은 징병제가 계속 유지된다면 신체

검사등급 기준을 크게 완화하면 좋겠다는 생각이다. 즉 도저히 신체적으로 불가능한 사람을 제외하곤 모두 입대할 수 있게 하는 것이 좋지 않을까. 물론 전제가 있다. 군대에도 체력을 요하지 않는 직무가 얼마든지 있으므로, 각자 체력으로 감당할 수 있는 직무를 적절히 부여하는 것이다. 그러면 군복무 기간도 단축할 수 있고, 병역 비리나 특혜 문제도 해결될 것이라고 생각한다. 국민개병제(皆兵制)* 정신에도 충실해져, 병역가산제 같은 논란도 필요 없어질 것이다.

* **자대** 병력이 '본래' 소속돼 있는 부대
* **12·12 신군부 쿠데타** 1979년 12월 12일 전두환·노태우 등이 이끌던 군부 내 사조직인 '하나회' 중심의 신군부세력이 일으킨 군사반란사건. 이 사건의 주도세력인 전두환과 노태우가 대통령으로 재임한 1993년 초까지 12·12사태는 집권세력에 의해 정당화됐으나, 그 후 김영삼 정부 때 '하극상에 의한 쿠데타적 사건'으로 규정됨
* **FM** 정해진 규정이나 원칙을 일컫는 은어
* **판문점 도끼 만행 사건** 1976년 8월 18일, 미군과 한국군 장병들이 초소 시야를 가리는 미루나무의 가지를 치는 한국인 노무자 5명의 작업을 지휘하고 있었다. 이때 북한군 장교 2명과 수십 명의 사병이 나타나 작업 중지를 요구하였다. 이를 무시하고 작업을 계속하자 수십 명의 북한군 사병들이 트럭을 타고 달려와서 도끼와 몽둥이 등을 휘두르며 폭행, 미군 장교 2명을 도끼로 살해하고 나머지 9명에게는 중경상을 입힌 뒤 사라짐
* **부마민주항쟁** 부마항쟁. 1979년 10월 부산 및 마산 지역을 중심으로 박정희의 유신독재에 반대한 시민들의 항쟁. 박정희 정권은 경찰력으로는 도저히 사태를 진압할 수 없다고 판단, 18일 새벽 0시를 기해 부산 일원에 비상계엄을 선포하고 공수부대 병력을 투입해 시위 군중을 해산
* **국민개병제** 일정한 연령에 달한 남자 모두에게 병역의 의무를 부과하는 제도

고시 공부

집에 돌아왔지만 갑갑한 상황이었다. 내 인생에 가장 난감하고 대책 없는 기간이었다. 제대는 했는데 복학도 안 되고, 마냥 집에서 쉬기도 그렇고, 졸업도 못 한 채 취업을 하기도 그렇고……. 모두 진퇴양난이었다.

고생하시는 부모님을 생각하면, 언제일지 모를 복학을 기다리며 빈둥빈둥 놀 수도 없었다. 부산 해운업계에 있던 선배들이 취업 권유를 했다. 대학 졸업장 없이도 대졸 사원 처우를 해 줄 테니 오라는 것이다. 그러기로 하고 준비를 하고 있었다.

그런데 갑자기 아버지가 돌아가셨다. 지병이 있는 것도 아니었는데, 심장마비라고 했다. 그때 아버지는 친척이 하는 회사 일을 도와주고 계셨는데, 출근했다가 밖에서 변을 당하셨다. 일을 마치고 목욕을 한 후, 저녁을 드시는 자리에서 맥주 한 잔 정도 마시고는 옆으로 고개를 떨궜는데, 한참 동안 그러고 계셔서 보니까 돌아가셨다는 것이다.

그때 아버지 연세는 겨우 쉰아홉, 지금 내 나이였다. 어머니도 나도 유언은커녕 임종도 지키지 못했다.

피난 내려온 후 평생 고향을 그리워했지만, 고향땅을 다시 밟아 보지도 못하고 당신 부모님의 생사 소식조차 듣지 못한 채 눈을 감아야 했던 불행한 분이었다. 삶의 뿌리를 잃고 낯선 땅의 새로운 삶에 적응하지 못해 무력하게 고단한 삶으로 여생을 마쳐야 했던 불쌍한 분이었다.

생각해 보면 아버지와의 추억이 많지 않았다. 별로 말씀이 없는 분이어서 살가운 대화를 많이 나누지 못했다. 드물게 하시는 말씀을 들어 보면 사회의식이 깊은 분이었다. 한일회담 때 이웃 대학생에게 왜 한일회담에 반대해야 하는지 설명해 주시는 걸 들은 기억이 있다. 우리나라는 농촌을 살리는 중농(重農)주의적 성장을 추구해야 하는데, 박정희 정권이 거꾸로 저곡가로 농촌을 죽이는 정책을 하고 있다고 말씀하신 게 어린 내게 강하게 와 닿았다. 장준하 선생이 발행하던「사상계」잡지를 때때로 읽기도 하셨는데, 그 시절 주변에서는 매우 드문 일이었다. 나도 모르는 사이 아버지가 나의 사회의식, 비판의식에 영향을 미쳤다는 걸 뒤늦게 깨달았다. 나는 아버지를 별로 닮지 않았다고 생각했다. 그런데 나이 들면서 거울을 보면 때때로 내 얼굴에서 아버지의 모습이 보여 놀랄 때가 있다. 알게 모르게 많은 걸 내 안에 남기고 가신 분이었다.

나는 아버지의 삶과 죽음이 너무 가슴 아팠다. 돌아가시는 순간의 이야기를 듣고는, 나는 아버지가 삶에 너무 지쳐서 생명이 시나브로 꺼져 간 것같이 느껴졌다. 그렇게 생각하니 내게 기대를 걸었던 아버지에게 잘되는 모습이나 희망을 보여 드리지 못한 것이 너무나 죄송스러웠다.

아버지를 위해서도 그냥 취업하는 정도로는 안 된다고 생각했다. 늦게나마 잘되는 모습을 보여 드리고 싶었다. 사법시험을 보기로 결심했다.

어머니께 이왕 고생하신 거, 조금만 더 고생하시라고 말씀드렸다. 49일을 치르고 다음날 바로 집을 떠났다. 전남 해남의 대흥사로 갔다.

그때 나는 하숙비를 집에서 도움받을 형편이 못 됐다. 마침 대흥사에 묵을 수 있도록 도움을 주신 분이 있었다. 그래서 대흥사로 가게 됐다. 대흥사 내 대광명전이라는 암자였다. 대흥사가 도립공원으로 지정되기 전이어서 참으로 고즈넉하고 아름다운 절이었다. 절 경내에 일체 시멘트가 없이 자연 그대로였고, 길도 포장되지 않은 흙길이었다. 경상도 땅에 있었으면 스님이 200명은 북적거릴 규모인데도 20여 명밖에 되지 않아 한적한 느낌이 들었다.

그곳에서 열심히 공부했다. 중학교 입시공부를 하던 초등학교 6학년 이후 처음으로 공부답게 했다. 대학 재학 중 3학년 겨울 방학 때 사법고시 1차 시험에 합격한 경험이 있었다. 그해 가을 교내 시위를 주도한 뒤여서, 공부도 결코 소홀히 하지 않겠다는 각오로 본 시험이었다. 다행히 합격했고, 게다가 우리 학년에서 유일한 합격자여서 나는 단번에 '고시 유망주'가 됐다. 그러나 법률 과목은 거의 공부가 안 된 상태였고 나머지 암기 과목들을 잘해 합격한 것이어서, 제대로 된 고시 공부는 새로 시작하는 것이나 진배없었다.

대흥사도 좋았지만 둘러싸고 있는 두륜산도 매우 아름다운 산이었다. 공부에 지치면 산길에서 보이지 않는 계곡으로 가서 벌거벗고 목욕을 했다. 때로는 두륜산 정상에 올라 그 너머로 내려다보이는 '땅끝'을 바라보기도 했다. 해남 땅끝마을에서 보면 그냥 바다와 방파제가 보일 뿐이다. 두륜산에 올라가서 봐야 '땅끝'임이 실감난다. 한반도의 끝부분이 바다

와 맞닿아 있는 모습, 그리고 그 너머의 다도해를 멀리서 바라보면 가슴이 뭉클해지곤 했다.

그곳에서 우리 차 '작설차'를 배웠다. 대흥사 일지암은 『동다송(東茶頌)』* 으로 우리 차의 맥을 되살려내고, 차를 매개로 다산 정약용과 추사 김정희와 교유했던 초의선사가 계셨던 곳이다. 말하자면 우리 차 문화의 본산이라고 말할 수 있는 곳이다. 내가 대흥사에 머물 때에도 일지암에서 만든 차가 전국 사찰에 공급되고 있었다. 머물던 암자의 주지스님이 때때로 불러서 차를 같이 마시자고 했다. 작설차를 그때 처음 마셨다. 차를 우려내는 방법도, 차를 마시는 다도(茶道)도 그때 처음 배웠다. 야생 찻잎을 손으로 덖어* 만든 수제차였다. 입안의 차향이 어찌나 오래 남는지, 다른 음식을 먹거나 담배를 피우지 않으면 종일 입속에 차향이 남아 있었다. 차향이 사라질까 아쉬워 담배를 피울 수 없을 정도였다. 그 후로는 그런 차를 다시 맛보지 못했다. 그래도 그때의 차 맛에 매료돼 지금까지 우리 차를 즐기고 있다.

계곡에 버들치가 많았다. 세숫대야에 비닐을 씌워서 구멍을 뚫고 그 속에 된장을 넣어 계곡물에 담가 두면 목욕하는 사이에 세숫대야 안이 버들치로 바글거렸다.

암자에서 하숙하는 사람들과 함께 그렇게 버들치를 잡아 매운탕을 두어 번 끓여 먹었다. 그런데 나중에 암자로 돌아가면 주지스님이 "처사님, 오늘 살생(殺生) 꽤나 하셨네요"라고 귀신처럼 알아맞춰 놀라곤 했다. 그래도 나를 좋게 봤는지 자신은 마시지 않으면서 절 마당에 있는 매화나무 매실로 술을 담가 내게 슬쩍 주기도 했다.

또 하나 기억에 남는 일은 예비군 훈련이었다. 그때 나는 동원예비군이어서 훈련에 빠지지 않으려고 대흥사로 주민등록을 옮겼다. 그 지역 예비군중대의 전투소대에 소속됐는데, 훈련을 나가면 대흥사의 젊은 스님들도 여러 명 같은 전투소대에 소속돼 훈련받고 있었다.

신부나 목사들은 지역방위협의회의 일을 돕는 대신 훈련이 사실상 면제됐지만, 스님들은 꼼짝없이 훈련을 받고 있어서 이채로웠다. 게다가 평소 승복 입고 거룩한 모습이던 스님들이 예비군복을 입고 삭발한 머리에 예비군 모자를 쓰고 있는 모습을 보니 절로 웃음이 났다. 전투소대는 다른 예비군과 달리 훈련을 제대로 받았다. 시골이어서 그런지 훈련받는 날이면 지역방위협의회에서 막걸리 두 말씩을 자전거에 실어서 보내 줬다. 훈련을 마치면 두륜산 계곡에 발 담그고 막걸리를 마시는 맛이 일품이었다.

공부하기 좋았던 곳인데, 몇 달 만에 떠나야 했다. 떠나고 싶어 떠난 게 아니라 암자가 하숙을 그만뒀다. 조계종 종정을 지내신 윤고암 스님이 그때 대흥사 조실로 오면서 대광명전을 선원(禪院)으로 바꾸도록 했다고 들었다.

할 수 없이 그곳을 떠나 여기저기 전전하며 고시 공부를 계속했다. 한 곳에 오래 있으면 익숙해져서 안일해지고 사람들과 어울리게 된다. 긴장을 유지하려고 일부러 몇 달에 한 번씩 장소를 옮기곤 했다. 늘 저렴한 곳을 찾아다녔다.

1979년 초 사법시험 1차에 합격했다. 다음해 2차 합격을 목표로 했다. 그런데 그해 10월 부마항쟁이 발발했다. 군 탱크가 시위대를 깔아뭉갰다

는 등 소문이 흉흉했다. 급기야 10월 26일 박정희 대통령이 시해됐다.

그리고 그때부터 '서울의 봄'*이 시작됐다. 그때부터는 마음이 들떠서 공부에 집중하기가 어려웠다. 그러다가 1980년 1월 무렵부터 학교 측과 복학 논의가 시작됐다. 나는 내 의사와 무관하게 복학생 대표가 됐다. 그리고 그해 3월 초 복학하면서 곧바로 '서울의 봄'이 일으키는 정국의 소용돌이 속으로 끌려 들어갔다.

* **『동다송(東茶頌)』** 조선 후기의 승려 의순(意恂)이 지은 책으로, 다도(茶道)를 시로 설명한 글. 의순은 호가 초의(草衣)이며, 보통 초의선사라고 부른다. 선(禪) 수행을 차(茶)와 일치시켜 차 문화를 부흥시키는 데 크게 기여했으며, 다성(茶聖)으로 추앙받는다. 제목은 '동쪽나라의 차를 칭송하다'라는 뜻으로, 동쪽나라는 곧 조선을 가리킴

* **덖다** 물기가 조금 있는 고기나 약재, 곡식 따위를 물을 더하지 않고 타지 않을 정도로 볶아서 익힘

* **서울의 봄** 수많은 민주화 운동이 벌어졌던 1979년 10월 26일~1980년 5월 17일 동안을 일컫는 말. 이는 1968년 체코슬로바키아의 프라하의 봄에 비유한 것

다시 구속되다

캠퍼스로 돌아갔다. 18년 군사 독재가 끝나면서 시작된 '서울의 봄'과 함께, 캠퍼스에도 봄이 찾아왔다. 복학은 당연한 일이었고, 복학 조건을 놓고 학교와 협상했다. 학교 측과 여러 번 만났다. 복학 문제는 모든 대학에서 거의 비슷한 시기에 일괄 타결됐다. 학교별로 자율적으로 결정하는 모양새를 취했지만 내용에 별 차이가 없었다. 그동안 복학이 이뤄지지 않은 1974년 하반기부터 1979년 사이에 제적된 학생 전체가 1980년 봄 신학기에 한꺼번에 복학할 수 있게 됐다.

복학 조건이 파격적이었다. 제적됐던 1975년 1학기 4월 초까지 학교에 다닌 것을 한 학기 이수로 인정해 줬다. 나 같은 4학년의 경우 한 학기만 더 이수하면 졸업이었다. 어떻게 그런 처리가 가능했는지는 모르겠다.

거기다 복학 학기 등록금을 면제해 줬다. 나는 그 덕에 1980년 8월에 졸업했다. 당시 '코스모스 졸업'이라고 부르던 가을학기 졸업이었는데, 졸업식에 참석하지 않아 졸업사진이 남아 있지 않다. 그냥 친구·후배들로부터 축하받고 소주 한 잔 하는 것으로 9년 만의 대학 졸업을 자축했

을 뿐이다.

경희대는 1980년 신학기가 시작되자 곧바로 족벌재단을 상대로 한 '학원민주화투쟁'에 돌입했다. 한양대와 세종대 같은 사학들도 뒤따랐다. 학교는 장기 휴강으로 대응했다.

무려 5년 만의 복학이었으나, 그 때문에 학교 강의는 한 과목 100분짜리 강의 하나 듣고 끝이었다. 강의가 없는 동안 매일 교내에서 족벌재단 사퇴와 학원민주화를 요구하는 농성을 했다. 그러다가 4월 하순부터 다른 대학들이 반독재 민주화요구 시위를 시작함에 따라, 경희대도 자연히 그 방향으로 전환했다.

학교 측과 복학 협상을 시작하면서부터 고시 공부를 계속하기 어려웠다. 복학하고는 더더욱 그랬다. 사법시험은 다음을 기약하는 수밖에 없다고 생각했다. 그래도 전년도 1차 합격으로 바로 2차 시험을 칠 자격이 있었다. 그동안 공부했던 것이 아까워, 1980년 4월 학내 시위 와중에 제22회 사법시험 2차 시험을 쳤다. 시험을 앞둔 가장 중요한 시기 두세 달 동안 공부를 못 했기 때문에 큰 기대를 하지 않았다. 다음 해를 위한 경험 쌓기 정도로 욕심 없이 임했다.

경희대가 반독재 민주화요구 시위로 전환할 때부터 나는 그 시위에 빠지지 않고 참석했다. 재학생들이 시위 경험이 전혀 없어서 복학생들이 시위 요령을 가르쳐 줘야 했다. 경찰은 처음 며칠간은 정문을 막았다. 서울의 거의 모든 대학이 시위를 시작하고, 광화문 등 시내에서 기습시위가 이어지자 더 이상 정문을 막지 않았다. 청와대와 중앙청,* 세종로 등 시내 요지를 집중 방어하는 쪽으로 전환한 것이다. 곧 나머지 지역은 학

복학 조건이 파격적이었고, 거기다 복학 학기 등록금을 면제해 줬다.
나는 그 덕에 1980년 8월에 졸업했다.
당시 '코스모스 졸업'이라고 부르던 가을학기 졸업이었는데,
졸업식에 참석하지 않아 졸업사진이 남아 있지 않다.
그냥 친구 • 후배들로부터 축하받고 소주 한 잔 하는 것으로
9년 만의 대학 졸업을 자축했을 뿐이다.

생들이 시위행진을 해도 아무 제지를 받지 않는 해방구처럼 됐다. 대학생들은 매일 서울역 광장으로 집결했다.

경희대는 매일 학교에서 출정식을 갖고 서울역 광장까지 행진해서 대학생 연합시위에 참석한 후, 다시 학교까지 행진해서 돌아와 해산식을 하곤 했다. 서울역에 집결하는 대학생 수는 갈수록 늘어났다. 마지막 5월 15일엔 거의 20만 명에 달했다. 신군부의 군부 독재 연장 책동에 대한 저항이 최고조에 달한 순간이었다.

그 순간 서울대 총학생회를 비롯한 각 대학 총학생회장단이 학생들의 전면퇴각을 결정했다. 군 투입의 빌미를 주지 않겠다는 것이었다. 이른바 '서울역 대회군'이다. 참으로 허망한 일이었다.

그 며칠 전부터 군 투입설이 있었다. 믿을 만한 교수들이 내게도 그런 정보를 전하며, 군 투입의 빌미를 주면 안 된다고 말했다. 그러나 어느 대학이랄것 없이, 복학생 그룹은 대체로 군이 투입되더라도 사즉생(死卽生)의 결의로 맞서 싸워야 한다는 생각이었다. 민주화를 향한 마지막 고비였다. 거기서 주저앉으면 또다시 군부 독재가 연장되는 것이었다. 군이 투입되더라도 국제사회의 눈 때문에 강경 진압에 한계가 있을 것으로 봤다.

복학생들이 총학생회 회장단을 설득하려 노력했지만, 시위 경험이 없는 그들은 군 투입 소식에 겁부터 냈다. 그렇게 해산한 대학생들은 다시 모이지 못했다. 그 중대한 기로에 서울의 대학생들이 싹 피해 버린 가운데, 광주 시민들만 외롭게 계엄군과 맞서야 했다.

나는 서울 지역 대학생들의 마지막 순간 배신이 5·18광주항쟁*에서 광주시민들로 하여금 그렇게 큰 희생을 치르도록 했다고 생각한다.

신군부는 5월 17일 24시부로 비상계엄*을 전국으로 확대했다. 나는 그날 아내와 함께 강화도에 있는 장인어른의 농장으로 놀러갔다. 나와 아내는 연애 기간이 꽤 오래돼, 양가 모두 결혼할 사이로 공인하고 있을 때였다. 장인, 장모님과 우리 두 사람, 그리고 처형과 그의 남자친구, 모두 여섯 명이 강화도 부속섬인 석모도의 보문사에 다녀왔다. 그날 밤 농장으로 돌아오는 버스 안에서, 당일 자정부터 비상계엄이 전국으로 확대된다는 라디오 뉴스를 들었다. 비상계엄은 이미 전년도 10월 27일 자로 제주도만 제외하고 내려져 있던 것이었다. 그런 비상계엄을 제주도까지 확대한다는 것이니, 서울 지역 상황에는 변동이 없는 것이다. 굳이 제주도까지 비상계엄을 확대할 이유가 전혀 없는 상황이었다.

그냥 직감으로 알 수 있었다. 그동안 비상계엄하에서 가두시위가 허용되고 군대도 투입되지 않았으나, 이제는 본격적으로 군대를 투입해 비상계엄을 제대로 하겠다는 뜻이었다. 나는 버스 안에서 아내에게 '돌아가는 대로 잠시 피신해야겠으니 그런 상황이 닥치더라도 당황하지 말라'고 당부했다. 순진한 생각이었다.

농장으로 가는 진입로 입구의 버스정류장에서 우리 일행이 내리는 순간이었다. 갑자기 5~6명의 건장한 괴한이 둘러싸며 권총을 들이댔다. 그리고 "꼼짝 마. 손 들어. 너 문재인 맞지?"라고 소리쳤다. 나를 체포하기 위해 기다리던 청량리경찰서 정보과 형사들이었다.

"영장을 보자"고 했더니 "영장 같은 소리 하고 있네!" 하면서 '계엄'이라고 붉은 글씨로 적힌 '계엄증'을 보여 줬다. 비상계엄하에서 영장제도가 정지되니 군소리 말라는 뜻이었다. 처가 식구들이 다 보는 앞에서 수

갑이 채워지고 차에 태워져, 그길로 청량리경찰서 유치장에 수감됐다.

그 시절 나는 경희대 안에 '장학사'라는 기숙사에서 기숙을 했다. 그런데 연행 전날 밤, 계엄군이 들이닥쳐 나를 찾기 위해 여학생들 방까지 샅샅이 뒤졌다고 한다. 내가 그곳에 없자 형사들이 그날 아침 처갓집에 쳐들어 와 구둣발로 온 방을 뒤진 다음, 혼자 집을 보고 있던 여고생 처제를 닦달해서 강화도 농장에 간 사실을 알아냈다. 그러고선 농장 입구에서 빵으로 요기하며 온종일 기다렸다는 것이다. 장인과 장모님 앞에서, 들이댄 권총에 손을 들기도 하고 또 수갑이 채워져 연행되기도 했으니 참으로 민망한 순간이었다. 떠나는 버스에서 밖을 내다보니 다들 아무 소리도 못 하고 망연자실 서 있었다.

내가 두 분을 놀라게 한 건 그게 처음이 아니었다. 공수부대 제대 말년 고참 병장이던 77년 10월 하순 무렵 아내의 졸업 연주회가 경희대 콘서트홀에서 있었다. 외출을 안 시켜 주는 평일이어서, 인사과 동기에게 받은 가짜 외출증을 가지고 외출을 감행했다. 들키면 영창에 갈지도 모를 일이었지만, 각오했다. 공수부대의 얼룩무늬 군복에 검은 베레모를 쓰고 졸업 연주회장에 갔다. 그때 두 분을 처음 뵙고 인사드렸다. 나중에 들으니 두 분은 내가 대학에서 제적되고 군대에 가 있다는 말을 듣긴 했지만, 막상 딸의 졸업 연주회장에 공수부대 군복 차림으로 나타나자 속으로 '경악'했었다고 한다.

그때 구속 사유는 계엄포고령* 위반이었다. 알고 보니 같은 시기에 전국적으로 많은 사람들이 같은 사유로 구속됐다. 당시 계엄포고령 위반으로 구속된 사람들은 모두 곧장 군법회의*로 넘겨졌다. 그런데 나를 비롯

한 경희대생들은 군법회의에 넘기지 않고 계속 미결 상태로 붙잡아 두고 있었다. 대학생들이 서울역 광장에 마지막으로 운집한 5월 15일, 남대문에서 발생한 비극적 사고 때문이었다.

그날 서울역 광장엔 20여만 명의 대학생들이 총집결했다. 경찰은 모든 병력과 화력을 남대문-시청 앞-세종로-광화문-청와대 쪽으로 집중해, 학생들이 남대문을 넘어오지 못하도록 막았다. 수적으로 월등한 학생들이 보도블록을 깨서 던지며 밀어붙였지만, 남대문 양옆으로 방어막을 치고 있는 경찰 저지선은 철벽 같았다. 학생들은 대학별로 번갈아가며 부딪쳐 봤지만, 어느 대학도 저지선을 뚫지 못했다. 그러는 사이 남대문 왼쪽 도로변에는 빈 버스들이 여러 대 늘어섰다. 시위 때문에 도로가 막히자 기사들이 오도 가도 못 하게 된 버스를 세워 두고 가 버린 것이었다.

처음엔 학생들이 그 버스를 밀어서 경찰 저지선을 뚫어 보려고 시도했다. 그런데 운전석에서 핸들을 잡아 주지 않고서는 버스가 똑바로 나아가지 않았다. 경찰 저지선까지 버스를 똑바로 밀고갈 수 없었다. 자연히 '누구 운전할 줄 아는 사람 없나?'라는 말들이 돌았다. 그 순간 추리닝 차림의 한 청년이 용감히 나서서 운전대를 잡고 버스를 운전했다. 그가 앞에서 버스를 살살 몰아 앞장서면 저지선의 경찰 병력이 길을 열 수밖에 없을 것이고, 그러면 그 순간 버스를 뒤따르는 학생들이 저지선을 돌파하려는 계획이었다.

그런데 그가 긴장했는지, 아니면 운전이 서툴렀는지 버스를 너무 빨리 몰았다. 그 바람에, 버스가 저지선을 넘은 후 학생들이 뒤따르기도 전에 저지선이 다시 닫히고 말았다. 버스만 달랑 경찰 속으로 들어간 셈이 됐

다. 우리는 그가 걱정됐지만 도울 방법이 없었다. 그런데 붙잡히리라 생각했던 그 버스가 잠시 후 반대편으로 돌아 나왔다. 남대문의 왼쪽으로 들어갔다가 오른쪽으로 빠져나온 것이다. 그때 그 버스가 빠져나올 때 남대문 오른쪽에서 우리 쪽을 향해 서 있던 전경대열의 뒤를 그만 덮쳤던 모양이다. 우리는 그때 그 사실을 전혀 몰랐다. 그저 그 사람이 무사히 돌아온 것에 안도했다.

그날 밤 뉴스를 보고서야 알았다. 버스가 돌아 나올 때 전경들의 뒤를 덮쳤다는 것이다. 전경 1명이 사망하고 4명이 중상을 입었다고 했다. 그때까지 시위대로 인해 경찰 병력이 사망한 사례가 없었기 때문에 대단히 충격적이었다.

이후 그 사고는 학생시위의 과격성·폭력성·극렬성을 보여 주는 상징적인 사례로 이용됐다. 당국은 특별수사본부를 설치해 범인을 반드시 색출하겠다고 발표했다. 당시 언론은 시위의 폭력성을 부각시키기 위해 "버스기사로부터 강제로 버스를 탈취해 몰았다"고 보도하기도 했다. 전혀 사실이 아니었다. 그때 현장엔 빈 버스가 20여 대나 방치돼 있었기 때문에 그럴 필요도 없었다.

나는 계엄포고령 위반 피의자이면서, 동시에 그 사건 참고인으로 특별수사본부 조사 대상이었다. 당시 경찰이 인근 빌딩에서 찍은 채증사진에 의하면, '버스 돌진' 당시 경희대 플래카드가 맨 선두에 나와 있었다. 대학별로 번갈아가며 경찰 저지선 돌파를 시도했기 때문에, 사진으로만 보면 경희대가 경찰 저지선 돌파를 시도하는 동안 '버스 돌진'이 있었던 것으로 판단할 만했다. 게다가 버스를 운전한 사람은 추리닝을 입고 있었고, 경희

대는 체대가 유명했다. 그래서 경찰은 우선 운전자가 경희대 학생일 가능성을 조사했다. 경찰의 또 다른 용의선은 한국체육대학이었다. 그날 한국체대생들이 추리닝 차림으로 시위에 참여한 일이 있었기 때문이다.

어쨌든 특별수사본부는 채증사진에 의해 내가 운전자가 아니라는 것은 이미 확인했지만, 운전자가 경희대생이라 의심하며 '복학생 대표로서 그날 시위를 이끌었던 너는 적어도 그가 누구인지 알 것 아니냐?'고 추궁했다. 그러나 나는 그가 누군지 몰랐고, 또 경희대 플래카드 역시 다른 학교가 저지선을 뚫는 차례였는데도 플래카드만 그 자리에 남아 있었던 것에 지나지 않았다.

결국 나는 '운전자가 누구냐'를 찾는 데 아무 도움도 안 되는 참고인이었다. 하지만 특별수사본부의 수사 성과가 전혀 없는 상태였기 때문에, 그냥 붙잡혀 있었다. 그 때문에 20일이 넘도록 군법회의에 회부되지 않고 미결(未決)로 남아 있었다. 그런데 그런 상황이 오히려 나를 살렸다.

* **중앙청** 현재의 광화문 바로 뒤에 있던 과거의 중앙정부청사. 일제 강점기에 조선 총독부 건물로 사용되던 것을 광복 후 중앙청으로 개칭하고 정부 청사로 사용하다가 헐었음

* **서울역 대회군(大回軍)** 1980년 5월 15일까지 연일 최고조에 달했던 서울역 등에서의 대학생시위를 당시 학생운동 지도부가 군 투입 빌미를 주지 않겠다며 자진해산을 결정한 일

* **5·18광주항쟁** 1980년 5월 18일에서 27일까지 전라남도 광주 일원에서 시민들이 계엄령 철폐와 전두환 퇴진 등을 요구하며 벌인 민주화 운동. 신군부가 계엄군을 투입해 무력 진압하면서 양민 수백 명이 사망. 한국전쟁 이래 최대 희생자를 낸 민간인 학살극

* **비상계엄** 대통령이 전시, 사변 또는 이에 준하는 국가비상사태로 사회질서가 극도로 혼란된 지역에 군사상의 필요에 의하거나 공공의 안녕질서를 유지하기 위하여 선포하는 계엄

* **계엄포고령** 계엄령을 선포하면서 계엄사령관 명의로 널리 알리는 법령이나 명령

* **군법회의** 군법을 근거로 설치되는 군사법정

유치장에서 맞은 사법고시 합격

구속된 지 이십삼, 사 일쯤 됐을까, 뜻밖의 낭보를 받았다. 반가운 소식을 가장 먼저 들고 온 사람은 아내였다.

내가 사법시험에 합격했다는 것이다. 나는 그 무렵 합격자 발표가 있다는 사실조차 까마득히 잊고 있었다. 아내는 합격자 발표일을 잊지 않고 있다가 결과를 알아봤던 모양이었다. 내가 그런 처지였으니, 더 간절한 마음으로 결과를 기다렸을지도 모를 일이다.

얼마 후 학교 학생처장, 법대 동창회장 같은 분들이 면회를 와서 축하해 줬다. 경찰은 나를 유치장 밖으로 내보낼 수는 없으니 대신 그분들을 유치장 안으로 들여보내 축하할 수 있게 해 줬다. 그분들이 소주와 안주를 가져와서 유치장 안에서 축하주까지 마실 수 있도록 해 줬다. 경찰 허가하에 외부인사가 유치장 안으로 들어와서 수감자와 함께 축하주를 마신 일은 경찰 역사상 전무후무한 일이라고 했다.

그 며칠 후 석방되었다. 군사재판에 이미 회부됐다면 석방은 불가능했을 것이다. 합격도 취소되거나 3차 시험 불합격으로 처리되고 말았을 것

이다. 다행히 미결상태였기 때문에 석방의 여지가 생겼다. 그 사법시험에서 경희대 합격자는 단 두 명이었다. 그중 한 명이 합격이 취소될 상황이라 학교 측은 총력을 기울여 구명 노력을 했다고 한다.

마침 그때 경희대 대학원장이 육사 1기 출신 김점곤 교수였다. 한국전쟁 때 평양에 제일 먼저 진입한 연대장으로 전사(戰史)에 기록돼 있는 분이다. 그분이 중대장일 때 육사 2기인 박정희 전 대통령이 밑에서 소대장을 했다고 한다. 그 분이 계엄사* 쪽으로 노력을 많이 했다는 말을 들었다. 석방은 아마 그 덕택이었을 것이다. 덕분에 특별수사본부의 '참고인'도 끝났고, '계엄포고령 위반' 조사도 유야무야됐다.

개인적으로 매우 기쁜 일이었다. 그러나 유치장에서 들은 '광주 5·18' 소식은 암울하기 짝이 없었다. 잡혀 들어간 이틀 뒤 무렵부터 정보과 형사들이 매일 광주 상황을 전해 줬다. 신문을 보여 주고 자기들이 정보라인을 통해 알게 된 정보도 알려주었다. 뜻밖이었던 것은, 그들이 군에 대해 대단히 비판적 태도를 보이는 것이었다. 군인들의 민간인 학살에 대해선 분개하기까지 했다. 광주의 경찰서장이 무기고를 열어 시민들이 무기를 가져갈 수 있게 해줬다는 얘기를 자랑스럽게 하기도 했다.

그런데 출감해 보니 사람들이 광주 상황에 대해 너무 모르고 있어, 이상할 정도였다. 그동안 언론은 국민들에게 정보과 형사가 나에게 알려준 것에도 훨씬 못 미치는 수준으로 보도했고, 심지어 왜곡하기까지 했기 때문이었다.

사법시험 최종 합격까지 한 번 더 고비가 있었다. 3차 면접시험이었다. 3차 면접시험은 그야말로 신원에 큰 문제가 없으면 백 퍼센트 합격하던

시절이었다. 그런데 면접시험을 며칠 앞두고 안기부 요원이 '인터뷰'를 하자고 했다.

그가 지정한 호텔에 나가 '인터뷰'에 응했다. 묻는 핵심은 하나였다. '지금도 옛날 데모할 때와 생각이 변함없느냐'는 것이 요지였다. 일종의 사상 검증이었다. 대답하기 정말 곤혹스러웠다. 머릿속으로 온갖 생각이 오갔다. 그러나 젊을 때였다. 자존심을 굽히는 것이 죽기보다 싫었다. '에라, 모르겠다' 하고 "그때 생각이 옳았다고 생각하고, 지금도 생각이 변함없다"고 버텼다. 그러고는 최종 합격자 발표 때까지 그렇게 대답한 것을 후회했다.

다행히 최종 합격됐다. 그가 좋게 보고해 준 것인지, 아니면 그의 보고가 결과에 영향을 미치지 않은 것인지는 모르겠다. 그때 3차 시험 불합격자가 한 명도 없는 걸 보면 대세가 다른 방향으로 흘러간 것인지도 모르겠다.

어쨌든 나의 사법고시 합격은 여러모로 운이 따랐다. 실제로 그 다음 해부터는 시위 전력자들이 3차 면접시험에서 마구 떨어졌다. 그들 중에는 많은 세월이 흐른 후에 '과거사위원회'에서 부당한 공권력 행사였다는 진실규명 결정을 받아, 다 늙어서 사법연수원에 들어가게 된 사람도 있다.

2차 시험 합격도 운이 좋았다. 시험 전 마지막 두세 달을 공부에서 손을 뗐기 때문에, 전형적인 시험문제들이 출제됐으면 합격이 불가능했을 것이다. 그런데 그해 2차 시험에는 전형적이지 않은 문제들이 많이 출제됐다. 특히 헌법 과목은 마지막 두세 달의 집중공부가 아무 소용없는 뜻

밖의 문제가 출제됐다.

나는 헌법 과목에서 거의 최고득점을 했다. 그것으로 나머지 과목의 낮은 점수를 만회해 간신히 합격할 수 있었다.

* **계엄사** 계엄사령부. 계엄이 선포됐을 때 해당지역의 행정권과 사법권의 일부 또는 전부를 가지게 되는 계엄사령관의 계엄업무 수행을 보좌하기 위한 군사기관

변호사의 길로

사법연수원 시절은 평탄했다. 생소한 법률 문장과 판결문 문체도 별로 어렵지 않게 익숙해졌다. 적은 액수지만 봉급을 받게 돼 처음으로 경제적 자립을 했다. 아내와 결혼하고, 첫 아이를 낳았다. 처음 만난 때로부터 만 7년, 긴 연애 끝의 결혼이었다.

박원순 변호사, 박시환 대법관, 송두환 헌법재판관, 이귀남 법무부 장관, 천성관 전 검찰총장 후보, 이번에 새로 대법관이 된 박병대 판사, 박정규 전 민정수석 등이 모두 연수원 동기들이다. 정치의 길로 들어선 사람도 여럿이다. 조배숙, 박은수, 고승덕, 이한성 의원과 함승희 전 의원 등이 동기다. 합격자 수가 141명, 적게 뽑던 마지막 기수여서 동기들 간의 유대감이 좀 돈독한 편이다. 연수원 마치면 거의 전원 판·검사로 임용되던 때여서 사법연수원 교수들도 판·검사 후배 대하듯 해 줬다.

작고한 조영래 변호사*도 연수원 동기였다. 한참 선배였는데, '서울대생 내란 음모사건'으로 사법연수원에서 제명됐다가 우리 때 복적이 이뤄져 연수원을 함께 다녔다. 내게 많은 영향을 줬다. 판사 임용이 거부됐을

아내와 결혼하고, 첫 애를 낳았다.

처음 만난 때로부터 만 7년, 긴 연애 끝의 결혼이었다.

때, 〈김앤장〉을 비롯해 두어 군데 법무법인과의 만남을 주선해 준 것도 그였다.

1984년과 1985년 울산 온산공단에서 다수의 주민들에게 온산병(病)* 으로 불린 공해병이 발생했을 때, 그의 연락을 받고 온산공단에 가서 함께 역학 조사를 벌였다. 발병자의 머리카락을 채취해 중금속 검사를 의뢰하기도 했다. 그의 노력으로 '온산병'은 사회 이슈화되기에 이르렀다. 공해병이 아니라고 일관하던 당국도 결국 공해 관련성을 인정해 주민들을 집단 이주시켰다. 엄혹했던 군부 독재 아래서 주민들의 집단 공해병을 처음 사회문제로 부각시킨 사건이었다.

1987년 대선 때 그는 '후보단일화 운동'*을 주도했다. 재야의 다수가 김대중 후보에 대한 '비판적 지지'*로 기울어 있을 때였다. 나는 부산 지역에서 그와 입장을 같이했다. 그때 노무현 변호사는 특별한 입장을 가지지 않고 공정선거 감시 활동에 주력했다. 끝까지 후보단일화가 이뤄지지 않아 결국 노태우 후보가 당선되고 말았을 때 우리는 크게 낙망했다. 얼마 후 '민변'*을 창립할 때도 함께 의논했다.

민변을 처음부터 전국조직으로 만들기 어려워 '서울 민변'을 창립할 때 나는 부산에서 별도로 '부산·경남 민변'을 창립했다. 조계종 소장개혁파 스님들이 비상개혁 종단을 범어사에 뒀을 때, 그의 소개로 내가 범어사 고문 변호사를 3년가량 맡은 적도 있다. 그리고 그 인연으로 부산불교인권위원회가 설립됐을 때, 불교신도도 아니면서 인권위원으로 참여했다.

그는 엄청난 골초였다. 특히 글을 쓸 때 담배를 입에서 떼지 않았다. 그의 명(名)칼럼, 명(名)변론문이 모두 자욱한 담배 연기 속에서 쓰였다. 어

느 날 부산에 와서 함께 생선회로 점심을 먹었다. 웬만한 골초라도 음식을 먹는 중에는 담배를 피우지 않는데, 그때 그는 음식을 먹다가도 이야기를 할 때면 담배를 피워 물었다. 담배를 절반쯤 피운 다음 껐다가 나중에 남은 담배를 다시 피우는 흡연 습관도 독특했다. '체인 스모킹'이 심각할 정도로 심해졌기에 내가 걱정을 했는데도 듣지 않았다. 그가 말기 폐암이라는 말을 들은 건 그로부터 20여 일 후였다.

나는 연수원 시절 판사를 지망했다. 체질에 맞을 것 같았다. 연수원에서 모의 기록으로 판결문을 쓰는 공부를 했는데, 재미있었다.

판사 시보를 서울 북부지원에서 했다. 대학 시절 구속돼 재판받았던 곳이어서 감회가 남달랐다. 그곳에서 실제 재판에 참여해 보기도 했다. 합의부 판사들간에 의견이 엇갈려 합의가 잘 안 될 경우 '시보 의견도 한번 들어 보자'고 해서 합의에 참여해 보기도 했다. 또 실제 사건기록으로 판결문을 쓰는 훈련도 했다. 당시 윤관 지원장(支院長)은 훗날 대법원장이 된 분인데, 시보들이 쓴 판결문을 일일이 손본 후 한 명씩 불러 평을 해 줬다. 내게는 "판사를 잘하겠다"고 칭찬을 많이 해 주셨다. 내가 판사 임용이 안 되자 그때는 거꾸로 "해 보면 판사가 별로 좋은 직업이 아니다. 변호사가 더 좋은 점이 많다"고 위로해 주시기도 했다. 훗날 그 인연으로, 참여정부 시절 발생한 대법관 파동 때 중재 역할도 해 주셨다.

검사 시보도 좋은 경험이었다. 검사 시보 역시 내가 구속돼 조사받았던 서울북부지청에서 했다. 검사 시보는 검찰청법에 의해 검사 직무대리로 임명돼, 검사와 똑같이 사건처리를 하게 돼 있었다. 그때 북부지청은 시보에게도 많은 사건을 배당했다. 물론 상대적으로 가벼운 사건들이었다.

대학 때 여러 번 피의자로 조사받았던 경험이 검사 직무대리로 사건을 처리하는 데 큰 도움이 됐다. 맨 처음 피의자를 조사하고 조서를 작성할 때, 옆에서 지켜본 지도검사가 "여러 번 해 본 사람 같다"고 감탄했을 정도였다. 여러 번 조사받은 경험이 주는 익숙함 때문이었는지, 연수원 때 검찰 과목에서 1위를 했다. 그러나 검사가 되고 싶은 생각이 들진 않았다. 검사의 직무를 부정적으로 생각했던 건 아니었다.

오히려 판사가 하는 일은 소극적이고 수동적이다. 검사는 적극적이고 능동적으로 사회정의를 세우는 일을 할 수 있어, 더 좋게 생각되는 면이 있었다. 그러나 검사 직무대리로 사건을 처리하면서, 검사가 내 성격에 맞지 않는다는 판단을 하게 됐다.

한번은 교통사고치사 구속사건을 배당받았다. 지금은 대규모 아파트 단지가 들어선 상계동이 허허벌판이던 시절, 그곳에 블록*공장이 몇 군데 있었다. 갓난애가 딸린 젊은 부부가 블록공장에서 함께 인부로 일했다. 아기를 맡길 데가 없어 블록 더미 사이에 아기를 놓아두고 엄마가 때때로 가서 젖을 주거나 돌봤다.

그런데 어느 날 트럭이 블록을 싣고 떠날 때, 그만 아기가 트럭 바퀴에 치어 죽는 사고가 발생했다. 아기가 트럭 밑으로 들어가는 건 아무도 보지 못했다. 전후 사정으로 보면, 아기가 블록 더미 사이에서 기어 나와, 어른들이 트럭에 블록을 싣느라 미처 못 보는 동안 트럭 밑으로 들어간 것으로 짐작됐다.

죽은 아기 부모의 사정도 딱하고, 구속된 운전기사 사정도 딱했다. 구속영장에는 차를 출발시킬 때 차량 밑을 살펴봐야 할 주의 의무를 위반

했다고 돼 있었다. 관념적인 판단일 뿐 실제 그 상황에서 어떻게 사고를 예상할 수 있겠는가? 게다가 그 운전기사도 고아 출신으로, 블록공장 사장의 호의로 그곳에서 차량을 운전하고 있는 가난한 청년이었다.

고심하고 있었는데 마침 블록공장 사장이 운전기사 대신 아기 부모에게 보상을 해 주고 합의를 해 왔다. 나는 운전기사를 무혐의 처리는 못 하더라도 적어도 약식처리는 해 줘야 한다고 주장했다. 부장검사와 차장검사는 '교통사고 치사 사건은 나중에 법원이 석방하더라도 검찰은 구속기소를 하는 것이 사건처리 기준'이라며 난색을 표했다. 지청장을 찾아가 내 의견을 관철했다. 그랬더니 부장과 차장은 '약식처리는 해 주는 대신 벌금액이 많아야 한다'고 했다. 또 우겨서 벌금액을 최소화하고, 분납까지 할 수 있도록 해 주고 석방했다. 그때만 해도 시보들의 기를 살려 주는 분위기가 있어 가능했던 일이었다.

그 사건을 처리하면서 사람을 처벌하는 일이 내 성격에 맞지 않다고 느꼈다. 늘 부담스럽고 마음이 불편했다. 식품위생법 위반사건 같은 것을 처리할 때도 소행으로 보면 처벌해야 마땅한 일인데도, 막상 사정을 살펴보면 장애인이라거나 생계형 범죄라는 등의 딱한 사정 때문에 단호한 처벌을 결정하기 어려울 때가 많았다. 내 무른 성격 때문에 검사는 안 맞겠다고 생각했다.

시위 전력으로 결국 판사 임용이 안 돼 변호사의 길로 나서게 됐다. 그때 나만 판사 임용이 안 된 게 아니었다. 연수원 동기 중에 여성이 딱 2명 있었다. 그중 한 명이 연수원 전체 3등으로, 대한변협회장상까지 받았다. 그녀의 아버지가 반공법 위반으로 복역 전과가 있고 보호관찰 대상자라

고 했다. 연좌제*가 없어진 후였는데도 아버지의 반공법 전과 때문에 판사 임용이 안 됐다. 그 때문에 다른 여성 동기와 함께 검찰로 갔고, 둘이 사상 첫 여성검사가 됐다.

심지어 그때 법원은 소아마비 장애가 있는 동기생 4명을 임용에서 제외해 엄청난 여론의 비판을 받기도 했다. 결국 법원은 3개월 후에 그들을 판사로 추가임용하는 것으로 손을 들었지만, 당시 법원의 의식 수준이 그 정도였다.

그런 것들을 보면 내가 판사로 임용되지 않은 것이 외압 때문은 아니었다. 법원, 특히 당시 대법원의 시대에 뒤처진 의식이 스스로 낙후된 결정을 내리게 한 것이다. 그래서 어쩔 수 없이 변호사의 길로 들어서게 됐다. 그 길목에서 노무현 변호사를 만났다.

내가 변호사가 된 그 모든 과정들이, 결국은 노무현 변호사를 만나기 위해 미리 정해진 운명적 수순처럼 느껴진다.

* **조영래 변호사** 『전태일 평전』을 집필한 한국의 대표적 인권 변호사. 1990년 작고

* **온산병(病)** 1980년대 초 울주군 온산 지역에서 발생한 공해병

* **'후보단일화'와 '비판적 지지'** 1987년 처음 치러진 직선제 대선에서 군사 독재를 종식시키기 위해 야권의 김대중-김영삼 두 후보의 단일화를 요구한 시민들의 운동. 당시 다른 한쪽에선 김대중 후보가 김영삼 후보에 비해 상대적으로 민주적 지도자라며 비판적이지만 지지 여론을 모아야 한다는 '비판적 지지' 입장으로 갈림

* **민변** 민주사회를 위한 변호사 모임. 1988년 그동안 민권 및 인권, 시국 사건의 변론을 맡아 활동하던 소장 변호사들이 결성

* **블록** 시멘트로 네모지게 만들어서 벽면 따위를 쌓아 올리는 데 쓰는 일종의 큰 벽돌

* **연좌제** 범죄인과 특정한 관계에 있는 사람에게 연대책임을 지게 하고 처벌하는 근대 형법 이전의 제도. 법에서는 금지하는데도 과거 독재시절, 사상범의 가족 또는 친족임이 신원조회에서 밝혀지면 고급공무원으로 임명하지 않는 등 악용사례가 빈번

문재인의 운명 필사 1

초판 1쇄 펴낸 날 2023년 5월 31일

지은이 문재인
펴낸이 장영재
펴낸곳 (주)미르북컴퍼니
자회사 더휴먼
전 화 02)3141-4421
팩 스 0505-333-4428
등 록 2012년 3월 16일(제313-2012-81호)
주 소 서울시 마포구 성미산로32길 12, 2층 (우 03983)
E-mail sanhonjinju@naver.com
카 페 cafe.naver.com/mirbookcompany
인스타그램 www.instagram.com/mirbooks

* (주)미르북컴퍼니는 독자 여러분의 의견에 항상 귀 기울이고 있습니다.
* 파본은 책을 구입하신 서점에서 교환해 드립니다.
* 책값은 뒤표지에 있습니다.